Planejamento Urbano

Coleção Debates
Dirigida por J. Guinsburg

Equipe de Realização – Tradução e Diagramação: Lúcio Gomes Machado; Revisão: Geraldo Gerson de Souza; Produção: Ricardo W. Neves e Raquel Fernandes Abranches.

le corbusier

PLANEJAMENTO URBANO

 PERSPECTIVA

Título do original
Mamiére de penser L'urbanisme

Copyright © by Le Corbusier

Dados Internacionais de Catalogação na Publicação (CIP)
(Câmara Brasileira do Livro, SP, Brasil)

Le Corbusier, 1887-1965.
    Planejamento urbano / Le Corbusier ; [tradução
Lúcio Gomes Machado]. -- São Paulo : Perspectiva,
2013. -- (Debates ; 37)

    Título original: Mamiére de penser l'urbanisme.
4ª reimpr. da 3. ed. de 2000.
Bibliografia.
ISBN 978-85-273-0212-8

    1. Cidades 2. Planejamento urbano 3. Urbanização
I. Título. II. Série.

08-05461   CDD-711.4

Índices para catálogo sistemático:
1. Cidades : Urbanismo 711.4
2. Planejamento urbano 711.4

3ª edição – 4ª reimpressão

Direitos reservados em língua portuguesa à
EDITORA PERSPECTIVA S.A.

Av. Brigadeiro Luís Antônio, 3025
01401-000 – São Paulo – SP – Brasil
Telefax: (0--11) 3885-8388
www.editoraperspectiva.com.br

2013

SUMÁRIO

Introdução 9

I. 1943 e Anos Seguintes 13

II. Ponto de Vista Técnico. Ponto de Vista Espiritual.
Solidariedade entre os Dois 19

III. Uma Nova Sociedade da Máquina 25

Realizada a revolução arquitetônica 29

*Atlas das aplicações das novas teses da arquitetura
e do urbanismo* 41

IV. As Regras: Humano e Natureza 47

V. Aquisição de um Instrumental 51

VI. Criação de um Instrumental de Urbanismo para
Uso da Sociedade da Máquina 65
Unidades de habitação 65
Unidades de trabalho 72
Unidades de lazer 80
Unidades de circulação 81
Unidades de paisagem 88

VII. Tentativa de exploração urbanística 99
Unidade rural 107
O centro industrial. 110

VIII. Ocupação do solo 117

IX. Não se trata de idéias já fixadas 125
Introdução a um estatuto dos construtores 128

X. Aplicações e planos 141

Apêndices
I. Intervenção de ASCORAL 161

II. Adquirida a doutrina, sua utilização 164

III. Organizadas onze seções de estudos 172

Biografia 198

Principais realizações 199

Bibliografia 200

INTRODUÇÃO

Uma ruptura brutal, única nos anais da história, acaba de destacar, em três quartos de século, toda a vida social do Ocidente de seu quadro relativamente tradicional e notavelmente concorde com a geografia. A causa desta ruptura — seu explosivo — é a intervenção súbita, em uma vida ritmada, até então, pelo andar do cavalo, da velocidade na produção e no transporte das pessoas e das coisas. Com seu aparecimento, as grandes cidades explodem ou se congestionam, o campo se despovoa, as províncias são violadas no âmago de sua intimidade. Os dois estabelecimentos humanos tradicionais (a cidade e a aldeia) atravessam, então, uma crise terrível. Nossas cidades crescem sem forma, indefinidamente. A cidade, organismo urbano coerente, desaparece; a aldeia, organismo rural coerente, traz os estigmas de uma decadência acelerada: colocada em inopinado contato com a grande cidade, é desequilibrada e desertada.

Ébria de velocidade e de movimento, dir-se-ia que a sociedade toda se pôs, inconscientemente, a girar em torno de si própria; tal qual avião em parafuso dentro de uma bruma cada vez mais opaca. Dessa embriaguez só se escapa com a catástrofe, quando se fica pregado, pelo choque, no chão.

Plataformas giratórias, centros de concentração e de redistribuição, os centros de comércio situam-se nos pontos de cruzamento das grandes vias de passagem. Ocupam os lugares, designados de há muito, uma vez que as estradas seguem a vertente das águas, inseridas no talvegue. O caminho dos pedestres passou primeiro, depois o dos cavalos e dos burros. O canal, a ferrovia, assim como a estrada real ou o automóvel moderno, seguem quase o mesmo leito. E, em certos lugares, eles também fatídicos, cruzam-se dois caminhos. Às vezes, mais. Pontos eminentes, pontos predestinados. Lugares de concentração e centros de dispersão. Nestes cruzamentos é que se instalaram os centros de comércio: burgos, cidades, capitais etc. Nestes lugares de passagem se haviam reunido os mercadores e seus banqueiros. E aqueles que trocam idéias: os que sabem e os que ensinam; aqueles, ainda, que exprimem a vida onde ela aparece mais viva, os artistas. A autoridade, naturalmente, instala-se num lugar radioconcêntrico.

As velocidades mecânicas deflagraram a indústria. Esta instalou-se ativa e temerariamente nêstes locais preexistentes, porque neles era possível encontrar moradia, abastecimento e mão-de-obra, bem como os mil recursos sociais que uma concentração humana sempre oferece. O transbordamento gigantesco do primeiro ciclo maquinista valeu a estas cidades sua congestão.

A cidade radioconcêntrica industrial faliu. Ela molesta os homens, impondo as circulações quotidianas, mecânicas e frenéticas e determinando uma mistura congestionada dos locais de trabalho e dos locais de habitação; cinturões sucessivos e sufocantes, interpenetrando-se como engrenagens, estabelecimentos industriais e bairros de comércio, oficinas e subúrbios, subúrbios próximos e distantes. A população aumentou (quatro milhões e meio de habitantes em Paris, onze em Londres, de oito a dez em Nova Iorque). Os sistemas de transporte coletivo são sempre modernizados para garantir o afluxo quotidiano das massas ao centro da cidade: metrôs, ônibus, trens de subúrbio, auto-estradas. Tudo é retificado, coordenado, aperfeiçoado diariamente, mas à custa do homem, para sua infelicidade. Seu dia solar de vinte e quatro horas não tem carinho para com ele; o homem vive artificialmente, perigosamente. As condições naturais foram abolidas! A cidade radioconcêntrica industrial é um câncer que passa bem!

Aquartelamento e desumanidade caracterizam medíocres caixas de aluguel, mal insonorizadas; a rua na porta, seu barulho, seu terror mecânico, mortal inimigo das crianças. Muita gente pensa compensar o desgaste nervoso e os mil dissabores da cidade morando em casas pequenas, na periferia. É legítima tal necessidade de evasão: a recusa das condições atuais de nossas cidades encontra-se na própria origem de uma doutrina da qual partilham todos os grandes arquitetos de hoje. Mas como é que esta evasão se traduz nos fatos? Pela proliferação (pseudo-evasão!) anárquica das cidadezinhas que corroem a natureza e degradam as belas comunas rurais, pelos gastos vertiginosos (transportes públicos, rede viária complicada, canalizações. correios etc.) que o alargamento doentio de nossas cidades implica para o Estado. Este gigantesco desperdício — a desorganização do fenômeno urbano — constitui uma das cargas mais esmagadoras da sociedade moderna. Cincoenta por cento do produto do trabalho geral é tomado pelo Estado para pagar tal desperdício. Uma ocupação racional do território permitiria que sua população trabalhasse duas vezes menos.

Sem dúvida, a casinha ("minha casa", "meu lar"), ladeada por uma horta e pomar e pela árvore amiga, ocupa o coração e a mente das multidões, permitindo que os homens de negócio obtenham lucros substanciais no loteamento de terrenos, na fabricação de portas e janelas, na construção de estradas dotadas de canalizações, bondes, ônibus, metrôs, automóveis, bicicletas, motocicletas, necessários à concretização dêsse sonho de Virgílio.

A casinha esmaga a dona-de-casa sob os encargos domésticos, esmaga as finanças dos municípios sob os trabalhos de manutenção. Resta, no entanto, a crédito da residência familial, a noção válida e mesmo sagrada da unidade da família que procura remergulhar nas "condições da natureza".

Essas condições da natureza estão inscritas numa das Tábuas da Lei do urbanismo contemporâneo, cujos três elementos são o ar puro, o sol e a vegetação. Outra Tábua lembra, porém, que o ciclo solar é curto: vinte e quatro horas fatídicas regulam as atuações dos homens, fixando o limite admissível de seus deslocamentos. A lei de vinte e quatro horas será a medida de todo empreendimento de urbanismo. Os fomentadores das cidades-jardins e os responsáveis pela desarticulação das cidades proclamaram bem alto: a cada um seu jardinzinho, sua casinha, sua liberdade assegurada. Mentira e abuso de confiança! O dia só tem vinte e quatro horas. É uma jornada deficiente. "Em oposição a essa grande dispersão de pânico, cumpre lembrar uma lei natural: os homens gostam de agrupar-se para se ajudar mutuamente, se defender e economizar esforços. Quando se dispersam, como atualmente, nos loteamentos, é que a cidade está doente, hostil e não cumpre mais seus deveres."

Como conciliar esses dois axiomas? Como remediar um escandaloso desperdício de tempo, "inscrevendo, simultaneamente, a natureza no contrato"? Como evitar que nossas cidades se estendam e se diluam, percam a forma e a alma? É o conjunto de problemas a que nos propomos responder, no presente volume.

12

1   1943 E ANOS SEGUINTES

Ano de 1943, sem caráter especial, situado, talvez, no ponto de inflexão entre a soma dos erros e a aurora da renovação.

Cumpre de fato tomar consciência da realidade no problema que ora nos preocupa: o terreno construído. Ligada, ainda, pelos ensinamentos, tanto às habilidades de manipulação como às de pensamento de outrora — concedendo, ainda, direitos de cidadania aos "estilos" greco-latinos, dividida por dois grupos de pretendentes: os que se chamam *arquitetos* e os que denominamos *engenheiros,* a arte de construir só pode apresentar-se à opinião pública e aos chefes como um problema confuso, um ninho de víboras, um nó górdio. O nó será cortado por uma arma afiada; esta arma, que é um exército, tem um nome: *os construtores;* ela corta o debate. Feito isto, o termo que, a bem dizer, expressa um programa, liga, reúne, une, ordena e produz. A unidade e a continuidade penetram, então, o conjunto dos temas. Nada mais é contraditório. O construtor está na oficina de fabricação, como nos andaimes do templo; é raciocinador e engenhoso, e é poeta. Cada um, perfeitamente disposto em ordem e hierarquia, ocupa seu lugar.

O urbanista nada mais é que o arquiteto. O primeiro organiza os espaços arquiteturais, fixa o lugar e a destinação dos continentes construídos, liga todas as coisas no tempo e no espaço por meio de uma rede de circulações. E o outro, o arquiteto, ainda que interessado numa simples habitação e, nesta habitação, numa mera cozinha, também constrói continentes, cria espaços, decide sobre circulações. No plano do ato criativo, são um só o arquiteto e o urbanista.

Na França, há oito mil arquitetos e somente alguns urbanistas. Assim mesmo, trata-se de um urbanismo em gestação e até agora muito retrospectivo, museográfico, mimético e particularmente interessado na decoração, na decoração no sentido de ornamento, de vestidura do campo, da cidade ou da aldeia, de uma vestidura não de estação, mas de representação.

Grandes urbanistas no entanto nos precederam, mas não usavam o lápis; manejavam a idéia: Balzac, Fourier, Considérant, Proudhon... Há cem anos já, no nascimento do maquinismo, Balzac respirara, em Paris, a mefítica maceração de séculos acumulados em uma cuba fechada em suas muralhas: a cidade. Os outros haviam dilatado seus pulmões com o sopro vindo da amplitude da imaginação; sentiram, pensaram, formularam e isto compusera uma profecia sobre a qual se quebrou a vaga dos hábitos, dos interesses imediatos. Tudo foi descoberto. Outros apresentaram-se de novo, pensando, por sua vez, a partir de outras premissas, e, também eles proféticos, foram cobertos pelo vagalhão dos hábitos e dos interesses. E, mais uma vez de novo... Esforço das gerações, umas após outras. Um acontecimento extraordinário projetava seus cimos no céu, lançava suas imensas ondas contra os horizontes;

ocorria algo de verdadeiramente sério, profundo, íntimo e geral: nascera a civilização da máquina. Frutos amargos: as grandes guerras modernas, estas destruidoras da quietude, essas galeras aventurescas que arrancam e desenraízam, produzem escombros, instituem os dramas do amanhã, pedindo ao gênio dos homens que a vida não se extinga em prazos tão curtos como podem, às vezes, ser propostos às sociedades e que bastam para fazer morrer de fome, frio e desespero.

Prazo tão curto exige sabedoria, firmeza e clareza de decisão suficientes. O acaso e a improvisação não são instrumentos suficientes para atender à qualidade da empreitada como é exigida pelo arranjo, pelo equipamento, técnico e sensível, de uma civilização da máquina. Tantas coisas deverão ser consideradas, planificadas, postas em execução em espaços de tempo muito curtos e em todos os pontos dos diversos países — verdadeira e angustiante sinfonia que harmoniza os homens das cidades com os do campo — que uma linha de conduta deve existir a todo custo; é preciso uma doutrina — nem muito, nem pouco delineada, uma vez que é necessária e deve ser suficiente.

Que aconteceu, no momento da grande surpresa, por ocasião da derrota de 1940? Um compreensível e instintivo movimento de recuo — uma retomada de contato com... o sólido. Onde se situa o sólido no momento mesmo das catástrofes, a não ser nos reflexos que constituem a maturidade das reflexões anteriores? Colocaram-se, pois, pés e mãos sobre o que existira, para deter-se e "retomar pé". Feito isso, levando em consideração o que somos (homens), quem somos (franceses), o que sabemos e podemos (técnicos) e o que queremos (atingir a alegria de viver), vimo-nos divididos em dois grupos humanos fundamentais: os ativos e os passivos. Nestes dois outros grupos humanos: os interessados e os desinteressados. E na dependência dos dois pólos da sensibilidade: os imaginativos e os conformistas — os poetas e os estúpidos.

No entanto, não falta o talento; ele abunda na França, mais do que alhures. O enfraquecimento das últimas décadas, porém, determinou que o país não seja mais gerido pelo gosto e isto para a grande vantagem do mau-gosto. Se outros países não têm pura e simplesmente gosto, a França se pôs a cultivar o mau-gosto. Os ensinamentos desempenham, aqui, importante papel, ao querer impor a idéia de que o gosto de outrora pode ser utilizado hoje, fabricado por processos imitativos.

Sempre e ainda a divergência é entre ontem e amanhã. Muitos daqueles que tomam a palavra nesta disputa são apenas jornalistas, às vezes escritores e, amiúde, homens de negócio. Na hora de forjar um urbanismo novo em tudo, muitos dos que gostariam de orientar a opinião pública não são urbanistas.

Em vagas sucessivas, no entanto, durante os anos 41, 42 e 43, muitas pessoas foram colocadas junto ao canteiro de obras, arquitetos encarregados de traçar os planos de reconstrução de cidades, aldeias e burgos. Desse modo, afiaram as garras — de arquitetos — experimentaram o urbanismo e, tornando-se ferreiros, ao forjar, entraram no urbanismo.

No momento, nada há de preciso nos prazos, no preço e na eficiência. Euforia ou distensão de uma trégua. Amanhã, porém, quando a clarinada anunciar o deslanchamento dos trabalhos (materiais, mão-de--obra, transporte, preço e tempo e, ainda, serviço prestado), tudo há de ser de novo como nas batalhas das frentes de guerra: Alemanha ou América, a indústria e o comércio precipitando-se para abocanhar esta França que acreditou poder alicerçar sua reconstrução sobre um exército de artesãos que não existe, sobre um programa sentimental colocado (ou que se verá colocado) em oposição às necessidades reais — fora das realidades e das possibilidades da vida.

Apareça a tempo uma doutrina coerente, e todos estes novos profissionais do urbanismo talvez possam encontrar nela uma luz que ilumine seus passos.

O bom senso é capaz de se recuperar quando vier a outra, a nova e violenta batalha da reconstrução. O verdadeiro problema — *viver hoje!* encontrará sua solução com o esforço intenso de todo o país e com a participação apaixonada daqueles que por ele serão os responsáveis: os arquitetos, transformados em urbanistas.

Serão de novo traços no papel e planos. Mas, desta vez, um trabalho com perspectivas claras.

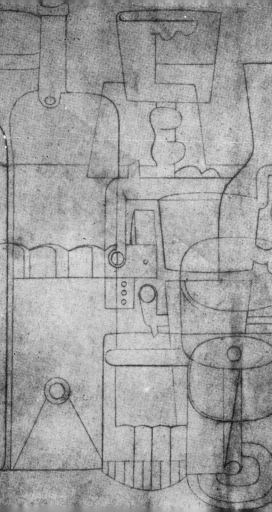

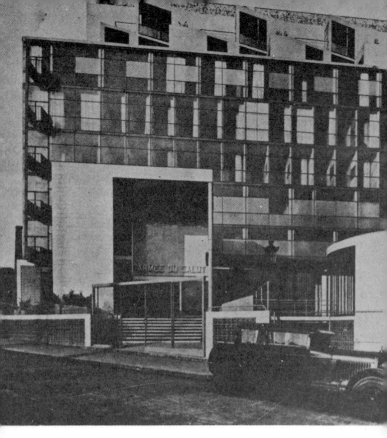

Cidade-refúgio do Exército da Salvação. Fachada principal, antes da reforma, 1929-1933

II

PONTO DE VISTA TÉCNICO.
PONTO DE VISTA ESPIRITUAL.
SOLIDARIEDADE ENTRE OS DOIS.

Seria preferível deixar de brincar com as palavras, deixar de opor sempre os pontos de vista, mas, antes, uni-los em ordem racional e harmônica.

O ponto de vista técnico não se opõe ao ponto de vista espiritual; um é matéria-prima, e o outro é o mestre-de-obra. O primeiro não vive sem o segundo.

Matéria-prima em toda sua inércia, a técnica é, antes de mais nada, a soma das invenções inocentes, espontâneas, ingênuas e sem vínculo, nascidas do acaso ou dos laboratórios; além disso, ela é aquela marcha sem limites, rumo a um objetivo que, também por sua vez, não tem limites e que arrasta as coisas para fins inesperados, muitas vezes perturbadores. Não existem pequenas ou grandes invenções; não existem pequenas ou grandes conseqüências: a pólvora e a imprensa foram suficientes para virar uma das grandes páginas da história humana.

O vapor e depois a eletricidade, o motor a explosão, inflando, desmedidamente, a força do bíceps ou a da parelha, abriram a civilização da máquina. Até onde a força se desenvolverá e quando alcançará uma posição de equilíbrio? O interesse do dinheiro ou o interesse do espírito apoderaram-se das invenções pequenas ou grandes: revessas de manipulações industriosas ou das hesitações de uma clientela sempre reticente. Chegará o dia, no entanto, que trará, por exemplo, exatamente em relação a esse problema, sua colheita de maturidade: a estrada de ferro (que fomentara a civilização da máquina) será suplantada pela rodovia destinada às distâncias pequenas, pelo avião que servirá para os grandes percursos.

O interesse é diversificado, como o são as necessidades. Estômago, sexo e cabeça, fixando os programas, decidem êxitos financeiros ou morais das primeiras invenções. Não há — em princípio como na realidade — quase nunca uma relação de direito entre o inventor e o sucesso: entre eles estendeu-se um campo de batalha, no qual se apresentam as paixões e suas conseqüências — a grandeza e a mesquinhez da gesta humana.

As invenções são a matéria-prima... A matéria-prima — como o nome o indica — é a condição primeira de toda a vida. A questão se coloca, pois, nitidamente: possuir ou não a matéria-prima; possuir muito ou pouco; diligenciar para reuni-la, a fim de utilizá-la ou, negligentemente, desinteressar-se dela? Mas alguns também perguntam hoje se é mister arrimar nossos esforços para repelir as invenções, para jogar longe a matéria-prima de nossas empreitadas.

Pois, mediante um falso comportamento — fraqueza, ausência de coragem, preguiça de imaginação — certas pessoas gostariam de barrar o caminho das invenções (para que elas não perturbem, ou melhor, para que cesse sua própria perturbação, ou ainda, para supri-la tão bem que ela seja abolida e voltem os tempos antigos, decorados, por este rodeio do raciocínio, com excepcionais atrativos). Para darem esse golpe, recorreram ao espiritual, instituindo-o como adversário da técnica. Apelaram para a sensibilidade e apresentaram-na como maltratada, perturbada, traumatizada pelos produtos da tecnicidade. Dispuseram-nas uma e outra como adversários — técnica contra sensibilidade, técnica contra espiritualidade. E, contra a técnica, puseram em guarda o país, a opinião pública e os corações. Empreendeu-se uma cruzada. Interesses de todo o tipo estavam em jogo, à sombra da preguiça: levou-se o debate para o terreno de Deus e do Diabo — a luta da espiritualidade contra a materialidade. E, nas horas patéticas das grandes decisões, da grande arrancada possível de uma civilização rumo a seus destinos harmoniosos, meteram a máquina na areia.

A realidade, para quem deseja vê-la, é, no entanto, positiva.

As técnicas ampliaram o campo da poesia. Elas não estreitaram os horizontes, não mataram os espaços e trancafiaram os poetas na Bastilha. Ao contrário, abriram, fantasticamente, com a precisão dos instrumentos de medida, os espaços diante de nós e, por conseguinte, o sonho: os mundos estelares e as profundezas vertiginosas da vida sobre a terra. Sonho e poesia jorram, a cada instante, dessa progressão técnica. Não é aí, pois, que está a questão.

Criou-se um artificioso mundo do espírito, no qual este, deixando de lado as alegrias da invenção, da criação, só se satisfaz com o culto da lembrança. Lembrança, aliás, cuja substância foi falsificada. As coisas evocadas para que se perpetuassem ou, pelo menos, para que voltassem a impor-se em nossas vidas, assumindo o valor de aquisições imperecíveis, estas coisas foram, na realidade, por ocasião de seu aparecimento, consideradas inventos inesperados, elementos perturbadores de uma ordem já estabelecida e de hábitos cômodos. As palavras compuseram coisas de sentido e forma arbitrariamente fixados e imobilizados, um glossário de termos que apelava para as noções mais permanentes, mas que eram congeladas em atitudes

21

imutáveis — telhado, aldeia, campanário, casa e assim por diante; pedra, madeira e terra; mãos, coração e alma; pátria, lar. Mediante isso, o mundo moderno não perecerá.

Eis, a título de exemplo, uma conceituação significativa: os aparelhos de medida e a pesquisa dos cientistas nos mostram que existem rochas constituídas por bilhões de seres vivos que enchiam os mares. Cada um desses seres teve formas harmoniosas, deslumbrantes; alguns deles se comprimiram em um ou dez milhões para constituir um milímetro cúbico de rocha! Uma outra dessas rochas vivas outrora constitui, em Paris, o que os canteiros chamaram de "banco real". Alhures, quebradas ou reagrupadas por acidentes geológicos, erigiram o maravilhoso sítio, determinado horizonte "de sempre". A pedra daí extraída foi utilizada nas casas, nos muros das estradas ou das vinhas. Laço de direito imperativo, disseram, filiação entre esse lugar, esses muros, essas casas, esses lares, esses homens, essa tradição, esse dever... Ingenuamente, o cientista nos ensina que, em última análise, essa rocha surgiu, há trezentos milhões de anos, nas profundezas abissais, sob dez mil metros de água do mar; essas ásperas montanhas, esses nobres perfis que se destacam no azul do céu, não passam de fundo do mar ao qual sucedeu alguma desventura...

A lição não seria estabelecer uma relação de direito absoluto entre o destino de uma rocha e o de uma casa, mas, com muito mais razão, saber que estas rochas que consideramos belas são um milagre de composição celular, verdadeiros palácios microscópicos, calcários, soldados com sílica. E que a natureza é *organização* em todas as coisas, desde o infinitamente grande até o infinitamente pequeno. E que o homem sentirá o coração reconfortado e o espírito tranqüilizado quando, através de suas obras, for posto em harmonia com o Universo, com as leis da natureza, onde tudo é nascimento, crescimento, morte e renovação eterna.

A técnica não é antagonista do espiritual. É uma de suas formas mais pronunciadas: a que vem do lado absoluto do raciocínio, das deduções lógicas e das fatalidades matemáticas e geométricas. O espiritual ocupa uma posição mais desligada dos fatos, das experiências ou das matérias. Situa-se, por meio do julgamento, da apreciação, da medida "em relação a" (em relação a nós, ao humano), mais perto da consciência. Entre esses dois pólos, caminha, naturalmente, a vida, na continuidade, na contigüidade, na seqüência, no contato e não na ruptura, na conformidade e não na oposição.

Das relações aqui mencionadas podem resultar duas decisões de bom senso e, também, de coragem e ação jubilosa:

1. Apelo a todas as potências técnicas para a formação de uma aparelhagem de acordo com o novo estágio franqueado pela humanidade.

Entre o sim e o não, optar pelo *sim* e será a certeza deslumbrante de atingir objetos desconhecidos, mas que exprimem, pela harmonia, as profundas realidades atuais. Objetos desconhecidos, pois, a criar temas de uma grande conquista; conseqüentemente, fonte de alegria criadora.

Dizer *não* e será, dirigido contra a corrente natural da vida, o esforço contraditório de pretender sustar o curso dos acontecimentos, a ilusão de nos apegarmos a coisas que já deixaram o domínio do momento presente; será impedir a sociedade moderna de viver de acordo com seu próprio ritmo, de atingir seu equilíbrio e, por conseguinte, será manter a ineficiência, a insuficiência e deixar pendentes as relações entre os desequilíbrios atuais com problemas sociais e seu cortejo de ameaças, apelo aos valores espirituais.

2. Apelo aos valores que, antes de serem regionais ou locais, são humanos. O prazer de viver sem ser num equívoco generalizado que sufoca os gestos cotidianos de todos, mas procurando a alegria de viver, único fim verdadeiro a ser consignado a uma civilização, é mundial; é universal. É ele que coloca o problema. E obrigação de uma reforma molecular do mundo moderno para a qual o indivíduo está convocado. As correntes do espírito se cruzam na atmosfera carregada de ondas, se conjugam sobre as antenas dos aparelhos de rádio, na solidão de cada lar. O pensamento é mundial; a convergência dos poderes espiri-

tuais na busca da sabedoria é indispensável. E tanto a China como a Índia poderão, também, apresentar sua mensagem de uma qualidade toda especial àqueles que talvez se deixem absorver demasiadamente pelos imperativos do bom senso e do materialismo.

Todos os recursos das técnicas e todos os valores espirituais, reunidos em leque, coerentes e contíguos, e partindo, todos eles, desse centro que só ele nos preocupa — o homem. O homem corporal e o homem espiritual, tanto o que raciocina como o sensível. Aí está a saída desejável para um absurdo conflito de pontos de vista entre o técnico e o espiritual.

III UMA NOVA SOCIEDADE DA MÁQUINA

O século XIX abria uma era de cálculo, de ciência experimental e aplicada.

As máquinas surgiram em massa; seu número cresceu de tal modo que tumultuaram e modificaram os costumes; a economia, a sociologia, a seguir, não pararam de sofrer transformações cada vez mais profundas, sinais prenunciadores de perturbações decisivas.

Já faz cem anos, com efeito, que a primeira locomotiva puxou um comboio de vagões numa estrada de ferro que ia de uma cidade a outra, introduzindo, assim, nas relações e nos transportes, uma mudança da duração — de fato uma velocidade que cresceria incessantemente, estendendo seus efeitos ao conjunto das atividades humanas.

Essas atividades estiveram equilibradas durante milênios na base de 4 quilômetros por hora determinados pelo passo do homem, do cavalo ou do boi. Doravante, temos de opor a essa cadência os 50 a 100 km-hora dos veículos nas estradas planas e dos navios; os 300 ou 500 km-hora dos aviões; enfim, as velocidades sem medida do telégrafo, do telefone, do rádio.

As conseqüências não iriam tardar: uma intensa agitação que tomou conta dos homens e de seus pensamentos, arrastando também em novo circuito as mercadorias e as matérias-primas. Os limites do comando, como os do controle, foram desmedidamente ampliados. Ritmo novo, destruidor de hábitos seculares e criador de novas atitudes. Por atitudes, devem-se entender, aqui em particular, as condições de trabalho e as de descanso, inseridas numa medida fatídica: o ciclo do dia solar de vinte e quatro horas que, eternamente, marcará o ritmo das atividades do homem.

Os costumes familiares transformaram-se, bem como as relações sociais.

A imprensa, graças à maquinaria aperfeiçoada, torna-se instrumento universal de transporte do pensamento para uso de todos os membros da sociedade: idéias e imagens — ciência, arte, história e geografia, economia e política. O transporte da idéia se completaria, pois, com uma arma inestimável: o *documento* fornecido pela fotografia fixa ou móvel.

O conhecimento assume, doravante, formas inauditas, por vezes reveladoras, particularizadas, multiplicadas e desdobradas, assumindo a força do absoluto — o documento. Ao mesmo tempo, ele se democratiza, propagado indefinidamente pela mecânica, sem mais limites ou respeito pelas castas preexistentes. Durante milênios, o homem vivera no seio de um universo incluído num raio de quinze a vinte quilômetros em torno de seu domicílio; hoje, porém, por meio da visão ou da leitura, o mundo todo se lhe tornou acessível:

— geografia (sítios, flora e fauna, colheitas e produções industriais);

— *raças* recenseadas pelo documento ilustrado, pelo filme documentário; elas nos são reveladas minuciosamente nos seus aspectos, costumes e na obra que constituíram;

— clima, de um pólo a outro, através dos trópicos e do equador e do nível do mar às mais altas altitudes.

Semelhante informação constitui tanto incitações à cobiça quanto convites aos retraimentos egoístas.

Este alargamento dos horizontes teve o resultado de avivar, de modo todo especial, a sede dos conhecimentos, das análises, das observações, A primeira reação contra esse estado foi a inquietação e o medo do novo. E a resposta a isso foram pesquisas sobre o passado, para adquirir alguma certeza. A arqueologia dominou, reinando sobre os ensinamentos; convidou à recusa de criar, à perda do *gosto de criar* — gosto e alegria do *risco* de criar.

O comércio e a indústria desenvolveram-se num ritmo que ultrapassa todas as previsões; afluxo de matérias ou de materiais; abandono dos meios manuais; virtude edificante e incontestável dos *exatos* produtos industriais etc. Na pressa da improvisação, as indústrias se concentram arbitrariamente, inflando, em demasia, as aglomerações existentes, e durante esse tempo — justamente devido a tal motivo — a terra é cada vez mais desprezada, pois a indústria recruta uma mão-de-obra sempre crescente.

A eletricidade suplantou a noite (destruindo, assim, uma norma milenar), e as cidades parecem adornar-se de atrativos tão deslumbrantes que se dá o inexorável êxodo dos campos, com a corrida para as cidades. História universal. Acontecimento mundial.

O artesanato é substituído pela indústria; o artesão, pela máquina acompanhada por um operário industrial ou por um trabalhador braçal; a unidade da família se rompe; todas as manhãs, o pai, a mãe às vezes, a moça e o rapaz se dirigem, cada um de seu lado, para seu ganha-pão, realizando tantas aventuras diferentes, às vêzes violentamente contrastadas. A ruptura do equilíbrio tradicional das relações humanas, baseadas na confiança, é

ilustrada por esta comprovação de real importância: aquele que consome hoje não conhece quem produziu. Nada mais do que outrora era utilizado como medida serve hoje para julgar o comportamento de uma sociedade arrancada, doravante, de suas tradições e que deu seus primeiros passos nas extensões desconhecidas de uma nova civilização da máquina.

Realizada a Revolução Arquitetônica

A locomotiva, o livro do século XIX com seus processos de reprodução cada vez mais precisos, oferecem um enorme afluxo de documentos, lançados à fome de quem queira deles se aproveitar. Todos os lugares e todos os objetos construídos de todos os tempos. Sob tal massa de sugestões, rompeu-se a linha evolutiva; ela era milenar, vinha da antigüidade mediterrânica, da idade média revolucionária e de certas adaptações resultantes médias da época clássica. As técnicas continuaram constantes: pedra, tijolos e madeiras. Ora, eis que deixam de sê-lo com o aço perfilado, com o vidro e o concreto armado e os métodos científicos de cálculo de resistência apoiado, tanto quanto possível, na segurança de materiais artificiais de qualidade constante: aços e ligas.

Criaram-se grandes escolas dedicadas às ciências novas e para formação de engenheiros. Tudo é sondado; a curiosidade e a invenção têm todas as honras. A ciência aplicada dá um enorme passo. As novas velocidades se corporificam no automóvel e no avião. O rádio envolve a terra com suas ondas inumeráveis, incansavelmente detectadas e portadoras de todos os pensamentos e palavras de ordem; o acontecimento, rolando sobre si mesmo, forma uma bola de neve. E aí está o homem submerso por tantas novidades. Ei-lo mesmo esmagado debaixo de suas descobertas, pela sociedade dividida em classes hostis, o indivíduo pisado ou entravado em seu comportamento quotidiano.

Afastamo-nos do ponto de vista humano. Deixamo-lo, chegamos até a esquecê-lo, a perdê-lo. Inconsciência, abandono da consciência das coisas; desmedida; grandeza e puerilidade. As máquinas viraram uma página inesperada da história humana e, como no decurso deste primeiro ciclo centenário da era da máquina, o homem se deixou surpreender e maltratar, alguns procuraram não reconhecer o lugar que elas realmente ocupam. Chegaram até a querer renegá-las! Ora, no domínio construído, é muito importante o efeito das descobertas científicas, efeito que se expressa através de alguns acontecimentos construtivos, fundamentalmente revolucionários, a saber:

1. A separação entre as funções portantes (vigas e pilares) e as partes portadas (alvenarias das paredes ou divisões); a ossatura é independentemente (de aço ou concreto armado); ela vai procurar sua base no subsolo, sem recorrer às tradicionais fundações de alvenaria.

2. A fachada, que não tem mais qualquer função portante obrigatória, pode ser considerada uma simples membrana que separa o interior do exterior. Não recebe mais a carga dos pisos e, nestas condições, conduz subitamente a total solução, o esforço dos séculos que procuraram introduzir o máximo de luz no interior das construções.. A fachada doravante pode ser envidraçada, até 100% de sua superfície.

3. A ossatura independente do imóvel, que tem contato com o solo, para nele se apoiar, somente por meio de alguns pontos (os pilares), permite a supressão de todos os embasamentos, deixando, então, lugar livre sob o imóvel. Este espaço disponível poderá ser reservado para fins precisos, em especial, para solucionar certos problemas de circulação (impasse inextricável das circulações, hoje misturadas, do automóvel e do pedestre — as velocidades de 4 quilômetros e as de 100 quilômetros).

4. As águas dos telhados, feitas com estrutura de madeira, podem ser, de agora em diante, substituídas por terraços de concreto armado, cuja superfície horizontal poderá ser utilizada para arranjos muito úteis.

5. No interior da construção — agora ocupado somente por raros pilares — a planta é inteiramente livre, as separações verticais (divisões) não estão mais superpostas a cada andar, como a prática das paredes portantes o exigia até agora.

Aí está, enunciada de modo rápido, a base da revolução arquitetônica realizada atualmente pelas técnicas modernas. *Ela tem muita importância.*

É verdade que se oferecem agora enormes vantagens tanto ao arquiteto quanto ao urbanista, chamados a resolver uma série de problemas que surgiram exatamente em conseqüência das invenções deste século de técnicas.

A revolução arquitetônica realizada oferece seus recursos à urbanização das cidades contemporâneas...

Enunciemos, ainda, somente a título de referência, algumas das recentes aquisições que nos oferecem inestimáveis meios.

Nos Estados Unidos, a altura dos edifícios cresceu rapidamente, passando, em duas décadas, de 100 para 300 metros. Daí resultaram uma técnica inteiramente nova, de concreto e aço, e métodos de proteção contra incêndio. Outros corolários: o mecanismo perfeito das circulações verticais mecânicas; a distribuição do ar condicionado feita tanto nas grandes construções como nos vagões de trem e nos navios, nos túneis sob o Hudson como nos aviões comerciais. A conquista da altura traz, em si, a solução de problemas essenciais colocados pela urbanização das cidades modernas, a saber: o restabelecimento possível das *condições naturais* (sol, espaço, vegetação); a separação do pedestre e do automóvel; a criação dos dispositivos qualificados de *prolongamentos do lar,* que atribuem um novo destino à puericultura, à eugenia e oferecem novos modos de vida tanto a adolescentes como a adultos. O todo permite precisamente imaginar, constituir e realizar uma organização do equipamento social contemporâneo que se torne a expressão harmoniosa de uma civilização da máquina, dotada, enfim, após um século de gestação, de equipamentos conformes à sua própria natureza e, após um período difícil, reinstale o homem em sua supremacia e sua dignidade.

É por meio da realização dessa revolução técnica que se abre a renascença arquitetônica do tempo presente, capaz de levar, logo, *a um estatuto homogêneo do terreno construído.*

No entanto, é interessante lembrar ainda três causas essenciais desta grande transformação. *Sendo a arquitetura a manifestação do espírito de uma época.*

não surpreende que uma parte dessas causas proceda do espiritual. Ei-las:

a) a instauração dos cálculos de resistência;
b) uma evolução da consciência;
c) a renovação estética realizada nas artes plásticas no decorrer do primeiro ciclo da civilização da máquina.

a) O século XIX do ferro, do Pont des Arts à Torre Eiffel, passando pelo Crystal Palace de Londres, os Palácios das Exposições Universais de Paris, constitui um verdadeiro farol lançado sobre o futuro. Além desses grandes marcos, que foram efêmeros, algumas aquisições se inscreveram em construções duradouras: Biblioteca Nacional de Labrouste, grandes lojas de aço, com ou sem fachada de ferro e vidro, em Paris: Bon Marché (o antigo), Printemps, Samaritaine. Nos Estados Unidos, em Chicago, os primeiros grandes *buildings* de Sullivan. Ao mesmo tempo, pontes de surpreendente audácia, como a Garabit, por Eiffel, a Ponte Washington, em Nova Iorque, e o Golden Gate, em São Francisco, na Califórnia etc.

Uma tal ruptura com os costumes e as tradições de construção e de estética devia provocar uma reação acadêmica; lembramo-nos do manifesto sensacional, chamado "dos intelectuais" de Paris, reclamando a interrupção da construção da Torre Eiffel. Nessa mesma linha, podemos citar a demolição dos Palácios da Indústria, da Galeria das Máquinas, depois de 1900 etc.

Não obstante o que se possa pretender oferecer como protesto, ontem como hoje, a arquitetura de ferro e vidro lança uma verdadeira luz sobre as possibilidades da época. O concreto armado nascia na França e aí se desenvolvia, inicialmente, de forma empírica; mas, por volta de 1900, sua técnica se tornava ciência exata, e abria-se um debate estético. Reações violentas; alguns julgam ser mais hábil sujeitar o concreto armado às formas tradicionais. Mas homens como Baudot ou Tony Garnier e, principalmente, como Auguste Perret, o instalaram, definitivamente, na arquitetura. Auguste Perret é, então, excomungado pelos próprios colegas que lhe negam até o título de arquiteto. Em quarenta anos, o concreto armado tornou-se a nova técnica de construção no mundo inteiro, passando a ser aplicado nas

32

obras mais ousadas: pontes, fábricas, barragens, como também nas mais tradicionais: edifícios e casas... Entrou na arquitetura doméstica, a serviço da residência individual, mas principalmente por meio do grande imóvel.

O aço é também adotado pela arquitetura de habitações, não somente para grandes imóveis como, ainda, para realizar, em série, e pela indústria, a residência individual pré-fabricada.

No mundo inteiro, os arquitetos recorrem a esses processos. E é, justamente, a França, berço dessas técnicas, que, neste momento, hesita em tirar proveito de tantas liberdades adquiridas, de tantos recursos novos e preciosos.

Paralelamente técnicas construtivas de estradas de ferro e de vagões, dos navios e de outras embarcações, dos automóveis e dos aviões, desenvolveram-se com uma rapidez inconcebível, maravilhoso produto do esforço conjugado de todos os inventos mundiais, reunidos em torno da mesma tarefa. A arquitetura encontra-se integrada nesses programas. Ela se insere neles, se revela neles, descobrindo, subitamente, deslumbrantes horizontes (eficiência e conveniência). A arquitetura insere-se em uma multidão de coisas novas, desabrocha como uma primavera e irradia mundialmente. Embora grande parte de seus inventores seja da França, sobretudo no estrangeiro é que o esforço terá boa acolhida.

b) Os malefícios dos primeiros tempos da máquina introduziram, já na segunda metade do século XIX, um debate destinado a fixar o ponto de vista justo, a partir do qual se poderia considerar um razoável equilíbrio entre o homem e a máquina. A indústria nascendo verdadeiramente, as máquinas tornando-se senhoras, os homens se viam reduzidos à miséria e conduzidos, implacavelmente, a uma vida antinatural... Se, no tumulto da conquista industrial, as máquinas forem mantidas e cuidadas como deusas, os homens, ao contrário, ficarão abandonados no primeiro desvio.

Século do vapor, portanto do carvão-de-pedra, século negro. A terra se cobre de fábricas e de habitações. A moradia é equipada na febre e na indiferença. A condição humana se vê aviltada de modo tão baixo que,

33

em toda a parte, estourarão os pródromos das futuras revoluções; profetas de valor variável proclamarão as grandes reformas fundamentais, as únicas capazes de conferir harmonia a uma civilização nascida da máquina.

Está aberto o debate estético propriamente dito:

Por volta de 1900, dá-se o cisma arquitetural de onde nasce o "novo estilo", o "modern style".

Ruskin, numa exortação verdadeiramente elevada, já em 1850, reclamara que um novo estado de consciência deveria encarregar-se da civilização da máquina. Nele as artes teriam a palavra e, muito particularmente, aquelas que estão ligadas de muito perto à pessoa humana: a arquitetura. Abandono das ostentações pueris, caras e desmoralizantes das arquiteturas oficiais, exame da moradia do novo homem, — moradia tanto do rico quanto do pobre. E, na moradia, a atenção dirigida para os objetos companheiros da vida. Foi um novo ponto de vista. Para sacudir o peso dos artifícios legados pelos séculos, todos se absorveram no exame, na descoberta da natureza. Toda uma geração dedicou-se a isso. Mas o problema deveria ser colocado no seu verdadeiro campo que não era o estético mas de ordem econômica e social. Ocupação do solo e, para a coisa construída, razão de ser ou de não ser. O urbanismo iria renascer de um esquecimento desastroso, disciplina eterna ligada à própria vida das sociedades. Daí por diante, urbanismo e arquitetura, duas coisas solidárias, constituiriam, de novo, esta ciência em três dimensões, graças à qual os homens se encontrarão colocados *nas condições mais favoráveis de vida, tanto no aspecto físico quanto no sensível.*

Em 1943, percebe-se muito bem que um problema de consciência é colocado em todo o universo. Esse problema outro não é que o de discernir, no meio de todas as confusões, a *razão de viver.*

c) *A técnica e a consciência são as duas alavancas da arquitetura sobre as quais se apóia a arte de construir.*

Se, de um lado, a arquitetura participa de fenômenos de resistência dos materiais, de outro ela é imperiosamente tributária de um fenômeno de ordem visual: a plástica.

Jogo hábil, correto e magnífico das formas reunidas sob a luz.

As artes plásticas (pintura e escultura), nos séculos XIX e XX, revisaram seus modos de expressão que haviam caído em geral abastardamento. Três gerações se empenharam nessa tarefa. Foram, sucessivamente, o *impressionismo, o fauvismo* e o *cubismo* (notemos, a propósito, que os três qualificativos conferidos — pelos seus adversários — a seus esforços foram três invectivas).

Somente depois da guerra de 1914-18 é que, de fato, foi estabelecido pela geração da arquitetura, armada de novas técnicas, o contato com as invenções plásticas.

O concreto armado, o ferro e o vidro encontraram, então, as bases fundamentais de sua estética.

Não fosse a última guerra, a experimentação arquitetural ter-se-ia realizado no mundo todo. Teriam surgido características específicas, nascidas dos climas ou dos costumes, através da própria unidade desta arte renovada, expressão de uma sociedade que traz em si mesma elementos comuns primordiais.

Vivemos em pleno coração do acontecimento e por isso o vemos mal. Não o medimos. É preciso ter viajado muito e comparado para se poder compreender o sentido da evolução, sua intensidade, seus recursos e probabilidades imediatas e, ainda, sua unanimidade.

Os adversários da nova arquitetura, para desqualificá-la, qualificaram-na de *internacional.* Reconhecem, assim, que se estabeleceu uma unanimidade, tanto entre os construtores quanto no meio dos usuários de todas as regiões e de todas as latitudes. E é disso mesmo que os adversários a acusam, emprestando a esse qualificativo um sentido pejorativo; lisonjeiam, assim, o espírito de reação e de medo que tomou conta dos fracos, frente aos excessos desse período de mutação. S. Giedion, em sua grande história da arquitetura, *Space, Time, Architecture and City-Planning,* escreve: "A arquitetura de hoje, pela primeira vez desde a época do barroco, possui um estilo, mas um estilo de malha suficientemente larga para proporcionar a cada país ou região, se disso for capaz, a ocasião de falar sua própria linguagem".

35

Existe, pois, um estilo contemporâneo. Quais são suas características? A mudança de óptica sofrida pela sociedade moderna tem suas origens em invenções técnicas; os cálculos de resistência e o emprego do aço e do concreto armado. O aço responde aos problemas de resistência e às necessidades de economia por meio dos ferros perfilados produzidos pela indústria pesada já no século XIX, empregados sozinhos ou em combinação com o concreto armado, técnica recente, a mais sutil e precisa, como também a mais econômica. Esta técnica aplica as características opostas de materiais heterogêneos (o aço e o concreto) às tensões contrárias de uma mesma peça, a tração e a compressão.

Dois acontecimentos separados, no início, pelo tempo e, hoje, reunidos. O aço dominando todo o século XIX e servindo para construir palácios imensos e formas inesperadas e pontes (aliás, os palácios lembrados aqui não passavam de pontes lançadas sobre espaços — Crystal Palace em Londres, Palais de l'Industrie, Galerie des Machines, em Paris). O concreto armado, introduzido na prática somente em 1900, de início concorrente do aço na construção de grandes naves ou de pontes, apodera-se pouco a pouco da casa dos homens e serve para construir os grandes imóveis. Nos últimos tempos, os dois processos rivais parecem aproximar-se para resolver, com economia, os problemas novos da habitação: o concreto armado servindo para tomar contato com o solo por meio de uma fundação útil, e atingindo a plataforma sobre o térreo que recebe a superestrutura dos andares, esqueleto leve e todo vazado onde o aço desempenha perfeitamente seu papel.

Os escritórios (sede da administração dos negócios públicos ou privados), destinados a alojar ocupações sedentárias, exigem volumes da mesma natureza.

O aço e o concreto armado são especialmente indicados para a construção de *ossaturas,* de uma extrema leveza, inesperada, não habitual. De repente, a aspiração dos construtores à luz encontra sua resposta inusitada, total, pois a fachada pode tornar-se "pano de vidro" (100% envidraçada). Muitas tentativas haviam sido feitas em vão através dos séculos[1]. Constitui uma revolução técnica que perturba tanto os construtores quanto os artistas plásticos e muito capaz de confundir até os estetas.

No ápice de sua glória arquitetural, Luís XIV só pôde dar a medida de sua magnificência, na Galerie des Glases de seu palácio de Versalhes, utilizando-se de espelhos de dimensão medíocre. Hoje, o vidro triunfa no mundo inteiro, lâminas impecavelmente lisas e transparentes cuja dimensão só é limitada por um fato acidental: o gabarito dos túneis de estrada de ferro e das pontes sobre estrada.

1. A ossatura independente de aço ou de concreto armado: o primeiro traço do estilo de hoje será a *leveza.*

2. Emprego do pano de vidro transparente ou translúcido. O traço característico será *luz* e *limpidez* — Crystal Palace de Londres ou pequenas casas no campo e imóveis de aluguel ou de escritórios de um futuro próximo.

3. Os cálculos exatos de resistência do aço e do concreto armado valorizam a *economia,* na sua acepção elevada.

4. As novas plantas, assegurando uma boa circulação, uma distribuição sadia, a classificação e a ordem, fazendo do conjunto do edifício uma verdadeira biologia (ossatura sustentadora, espaços ventilados e iluminados, alimentação, por canalizações, com "utilidades" abundantes — água, gás, eletricidade, telefone, saídas, calefação, ventilação etc.), dão a sensação da *eficiência.*

5. A presença sinfônica, harmoniosa e funcional de tantas condições novas introduzidas na construção confere à obra um incontestável caráter de *concisão* e de *exatidão.*

6. O retilíneo decorre dos meios postos em jogo. O ângulo reto domina. As necessidades a satisfazer: criar, para habitar e para trabalhar, quartos ou locais quadrados, a técnica do concreto armado atende a elas

---

(1) Excetuando-se as catedrais, mas a solução exigia a grande altura das naves; excetuando-se, também, as casas de habitação góticas, em panos de madeira, cujos sucessores, na Renascença, foram as "grandes praças" de Antuérpia, de Bruxelas etc.

37

espontaneamente (pilares e pilaretes, vigas e vigotas, abóbadas, alvenarias etc.); depois o abandono das "mísulas", conseguindo, nos inícios do concreto armado, o engastamento do pilar e das vigas, a atitude *ortogonal* do ponto de concreto tornou-se evidente na *pureza* e no *retilíneo*.

7. Os hábitos visuais são renovados: os embasamentos espessos de pedra, outrora necessários, são radicalmente abandonados; as fortes pilastras de pedra ou de alvenaria, as paredes cuja espessura era ditada pela sua função portante, todos esses fatores primordiais da sensação plástica e detentores de uma qualidade de emoção específica são ultrapassados, hoje, pelos pilares de concreto ou de ferro, esbeltos e raros. No instante de seu aparecimento, acreditou-se que eles nunca poderiam dar a sensação de portar e tranqüilizar, suficientemente, o espectador. ...Passaram-se os anos, veio o hábito, a sua *elegância* se nos apareceu elemento essencial do estilo atual.

8. O teto-terraço, com escoamento das águas para o interior, é a cobertura normal, impermeável e sem risco, principalmente se nela plantarmos um jardim que colocará o concreto e seus ferros ao abrigo dos efeitos tão perigosos da dilatação.

Teto plano e terraço-jardim, escoamento das águas para o interior, eis uma das inovações mais perturbadoras da estética tradicional. Acontecimento de ordem técnica, por conseguinte de valor universal, que se impõe, como o fez a abóbada ogival gótica, que não conheceu fronteiras na idade média.

Mas uma reforma ainda mais perturbadora atinge os hábitos já estabelecidos: a cornija, viva e útil durante tanto tempo, corolário pomposo do telhado inclinado, cai em desuso. Trata-se, com efeito, de escoar as águas do teto para o interior e não mais para o exterior. Quanto à proteção térmica na fachada do pano de vidro eventual, um organismo vivo a isto atenderá: o *brise-soleil* será, ao mesmo tempo, *brise-pluie*. Dispositivo que constitui para o usuário um complemento de satisfação muito apreciável.

9. Desde então, pode começar uma nova distribuição dos materiais tradicionais.

Se, no caso da pequena casa individual, cuja execução será da competência de artesãos regionais, os hábitos e, conseqüentemente, a atitude tradicional puderem, eventualmente, subsistir, a questão será bem outra quando se tratar de grandes volumes construídos.

A pedra de cantaria não partirá para a conquista difícil e, aqui, sem objetivo da altura; continuará, eterna amiga do homem, gozando de seu contato real, próxima de seu tato, no enorme equipamento erguido que a reorganização das cidades e, conseqüentemente, o urbanismo querem introduzir. A madeira, deixando os tetos, revestirá as paredes das construções feitas em série, trazendo o conforto outrora reservado aos senhores. Enfim, os metais perecíveis sumirão diante dos metais inoxidáveis — aço, alumínio etc.

Esta é a arquitetura transformada posta hoje a serviço do urbanismo. Este, pela natureza de seus programas, agirá consideravelmente sobre o volume, a disposição, a distribuição das várias construções, constituindo, verdadeiramente, o equipamento eficaz das cidades ou das aglomerações rurais.

As conquistas do urbanismo conferirão uma aparência nova aos edifícios para moradia completados por seus prolongamentos, aos centros de negócio ou a uma parte dos locais de trabalho. As circulações mecânicas verticais, cuja tecnicidade impecável é adquirida nos lugares onde domina uma organização suficiente, garantirão a exploração perfeita dos imóveis, desencadeando, assim, um jogo de conseqüências dentre as quais as mais importantes serão a independência recíproca dos volumes construídos e das vias de comunicação. De fato, a realização de uma operação julgada até aqui utópica: *a separação do pedestre e do automóvel.* O volume construído deixa, então, de ser o simples resíduo fornecido pela intersecção de três ou quatro ruas; e a rua deixa de ser um corredor entre as fachadas erguidas ao longo de suas margens e no interior do qual se precipitam, oprimindo excessivamente, as coisas mais díspares: pedestres, cavalos, automóveis, caminhões e bondes. Reforma cujo magnífico fruto será uma aparência nova da coisa construída, senhora dos espaços **livres** circundantes,

aparência magnificamente arquitetural dos bairros residenciais ou de trabalho. Explorando sua conquista técnica, o homem, dispondo de um estilo da época, coloca-o finalmente a serviço de seu próprio bem-estar e de sua satisfação estética.

Atlas das aplicações das novas teses da arquitetura e do urbanismo.

Por volta de 1900, Tony Garnier, em sua *Cité Industrielle,* materializada por uma série magistral de desenhos, propõe, pela primeira vez, um solo de cidade, transformado em domínio público e prestando-se à instalação de dispositivos comunitários úteis a todos os habitantes.

Integra, novamente, a dignidade e a pureza, depois de um longo eclipse, nos locais de habitação, de trabalho e de contato cívico.

Alguns anos mais tarde, Auguste Perret realizará suas primeiras construções de concreto armado, detentoras de uma nova estética (garage Ponthieu, edifício da Rua Franklin... guarda-móveis dos Gobelins etc.).

Depois da guerra de 1914-18, aparece *L'Esprit Nouveau,* revista internacional da atividade contemporânea que apresenta de modo especial os problemas da arquitetura e do urbanismo, despertando um interesse que, imediatamente, ultrapassa as fronteiras. Estas teses (ética e estética, técnica e sociológica) são materializadas (1922, Salão de Outono) pelo estudo de Le Corbusier, denominado *Une Ville Contemporaine de 3 Millions d'Habitants.* Alguns problemas nele salientados tornar-se-ão da mais premente atualidade: o lar (a célula de habitação, o loteamento racional compreendendo o futuro "estatuto do solo" e a determinação de "unidades de grandeza conformes"), o urbanismo de hoje levando em conta as condições de habitação, de trabalho, de repouso e de circulação. Este tema sintético, arquitetura e urbanismo, incansavelmente perseguido, conduz, em 1930, à elaboração da tese chamada de *Ville Radieuse.*

Em 1928, os C.I.A.M. (Congresso Internacional de Arquitetura Moderna) foram fundados, consagrando, depois de 13 anos, seus trabalhos ao urbanismo.

41

Em 1933, os C.I.A.M. encerram seu IV Congresso em Atenas, com as "Constatations" publicadas em 1943, sob o título *La Charte d'Athènes* [2].

De ano para ano, temas urbanísticos e soluções arquitetônicas conjugam-se para responder às grandes questões colocadas pela época sobre o terreno construído.

Estes esforços, surgindo em todos os lugares do mundo, ligavam-se por laços diretos ou indiretos a manifestações essenciais de evolução espiritual. Por exemplo, a cruzada inglesa de Ruskin e o advento das cidades-jardim; as teorias urbanísticas de Camillo Sitte; o movimento de arte 1900 (Gaudi, em Barcelona, Otto Wagner e Hoffmann, em Viena; Berlage, em Amsterdã; Van de Veld, em Bruxelas, Paris e Weimar; de Baudot, Guimard, em Paris; Sant-Elia, na Itália; Carl Moser, em Zurique; Sullivan, precursor, depois Wright, em Chicago etc.); o desenvolvimento irresistível do concreto armado, a construção do automóvel, do avião, do transatlântico, a aparição do arranha-céu nos Estados Unidos.

Uma parte dessas idéias, embora vindas dos mais longínquos horizontes, reencontra, hoje, algumas das proposições proféticas de Fourier, formuladas por volta de 1930, no nascimento da era da máquina.

Por outro lado, certas disposições visando à urbanização das cidades industriais retomam, aplicadas a outros fins, uma velha idéia espanhola: o "centro linear de habitação", remontando a 1880 e retomada em silêncio, na União Soviética, por ocasião de certos empreendimentos do Plano Qüinqüenal.

Segundo incidências diversas, segundo possibilidades locais, um esforço unânime e universal desembocava em aplicações significativas em todos os lugares do mundo: as proposições de Walter Gropius, reagindo contra o artifício e o conformismo que sucederam ao primeiro despertar arquitetural alemão, o "Jugend Styl", os Escandinavos (Estocolmo, obras sociais, cooperativas de habitação etc., Helsinque: trabalhos de Alvar Aalto, fábricas, sanatórios etc.); na Holanda, os últimos planos de

---

(2) A prova deslumbrante do que afirmamos é oferecida pelos trabalhos publicados em Nova Iorque, Rio de Janeiro e Londres e que só chegaram a Paris em 1945. Anunciam que o Brasil, com suas construções governamentais, colocou-se à frente da arquitetura moderna, tendo resolvido, em definitivo e pela primeira vez, o problema do sol de acordo com as exigências da vida moderna, nos trópicos. Ora, os elementos desse renascimento vinham de Paris.

urbanização de Amsterdã e uma renovação arquitetônica generalizada (residências, fábrica Van Nelle, escritórios, concurso para o projeto do Paço Municipal de Amsterdã etc.) Em Antuérpia, em 1933, mais da metade dos projetos do concurso internacional para o plano de urbanização da margem esquerda do Escaut pertencia ao tipo da "Ville Radieuse". Na Tchecoslováquia, movimento caracterizado em Praga, em Brno, como em Zlin (Batà). Na União Soviética, um movimento autóctone, o "construtivismo", se completa, já em 1928, com contribuições ocidentais (Concurso Internacional para o Palácio do Centrosoyus e o Concurso Internacional para o Palácio dos Sovietes). Na Suíça, numerosas aplicações espalhadas por todo o território e, muito particularmente, em Zurique, Berna, Genebra, Basiléia. Na Itália, uma ação muito fecunda dos C.I.A.M. em Milão. Em Johannesburgo (Transval), a Faculdade de Arquitetura da Universidade é totalmente tomada pela doutrina dos C.I.A.M. Londres liga-se a ela por volta de 1932 (imóveis, exposições, projetos de urbanismo londrino). No México, numerosas construções. No Rio de Janeiro, um grupo C.I.A.M., muito ativo, constrói o Ministério da Educação Nacional e da Saúde Pública, faz o projeto da Cidade Universitária e de muitos edifícios públicos. A mesma atividade no Uruguai e na Argentina. Nos Estados Unidos, arranha-céu, característico de Howe e Lescaze, em Filadélfia; o Museum of Modern Art, em Nova Iorque, instala em suas coleções as maquetes do Palácio dos Sovietes e da urbanização de Nemours, da Argélia, feitas em Paris. A Universidade de Harvard (Boston) confia sua cátedra de arquitetura a um dos membros dos C.I.A.M. Na Argélia, um esforço incansável para que as autoridades adotem um plano de urbanização de Argel e de sua região, segundo a doutrina dos C.I.A.M. A mesma seiva circula na Hungria, na Turquia, na Polônia, na Iugoslávia, na Grécia. A China e o Japão estiveram entre os primeiros a fazer uma aplicação entusiástica dessas teses.

Nenhum país deixou de ser atingido por essa renovação. Frutos do cálculo (que é universal) e de uma nova consciência, nascida no curso do primeiro ciclo da era da máquina, esta arquitetura, este urbanismo, difundidos no mundo inteiro, possuem traços comuns. Bastarão alguns anos de desenvolvimento para que as características locais, impostas pelo clima e pelas tradições, surjam naturalmente neste movimento[3].

(3) A análise das novas condições de habitação foi confiada à 3ª seção, da ASCORAL: Subseção do Equipamento doméstico.

IV AS REGRAS: HUMANO E NATUREZA

Essa mudança terá suas regras. Parte delas é o conjunto de idéias e invenções que constituem fatos construtivos pertencentes a esse primeiro ciclo centenário da era da máquina; outras resultaram da indução e do raciocínio, conseqüência desse procedimento do espírito pelo qual se reconhece e se denuncia o caos atual e se formulam proposições, estas exprimindo, sucessivamente, certezas firmadas e aspirações unânimes. Para elaborar essas regras, são necessários *leitores de situação*, exploradores do futuro próximo. E só são leitores admissíveis, no caso, pessoas capazes de levar o produto de substituição até onde sua crítica possa demolir. Não são destiladores de quintessência, mas construtores. Não se refugiaram no abstrato; não adotaram contornos vagos, por não terem entrado dentro da liça de todas as dificuldades; as generalizações não são seu objetivo. As *generalizações* servem para confirmar o direito à vida das noções novas. As generalizações não conduzirão um dia à invenção ou à descoberta de novas noções. O processo é inverso; a vida é feita de invenções espontâneas; as que são confirmáveis ou confirmadas pela geração trazem em si e proporcionam vida e harmonia. As demais, malogros e hiatos.

Os provedores com uma regra devem ser *inventores* e não *dedutores*.

Que representam, em relação ao terreno construído que no momento nos interessa, estes axiomas transmitidos pelos séculos e, hoje, mortos por asfixia: as três ordens da arquitetura, os estilos e a vignola? São restos de civilizações passadas; conservados nas nossas existências contra todo e qualquer motivo, não passam de falsos testemunhos. Para julgar as respostas a dar aos imensos problemas colocados pela época e referentes a seu equipamento, é admissível uma única medida, que reduzirá todos os problemas a suas próprias bases: o *humano*.

Este ser humano, estes seres, esta sociedade de hoje estão mergulhados num meio. A evasão seria quimera e logo punida.

Portanto, o equilíbrio será procurado entre o homem e seu meio.

Porém, de que meio e de que homem se trata? De um homem profundamente modificado pelo artifício dos séculos de civilização; mais especialmente aqui, de um homem terrivelmente enervado por cem anos de maquinismo? De um meio trepidante do tumulto das mecânicas, espetáculo e ambiência às vezes alucinantes?.

Nem de um, nem de outro. Neste momento de confusão, voltamos aos princípios verdadeiros que constituem o humano e seu meio. O homem considerado como uma biologia — valor psicofisiológico; o meio explorado de novo em sua essência permanente: que será a natureza... Reencontrar a lei da natureza.

48

E levar em consideração o homem e seu meio — o homem fundamental e a natureza profunda.

Reprocurar, reencontrar, redescobrir a unidade que gera as obras humanas e as da natureza. O homem, produto (talvez supremo) da Natureza e, conseqüentemente, espelho desta; Natureza, parte do cosmo. A fim de que reine a harmonia, impõe-se introduzir nas empresas do espírito o próprio espírito que reside na obra natural.

Quanto à obra humana, impõe-se torná-la solidária da obra natural. A natureza nos fornece ensinamentos ilimitados. A vida se manifesta nela; a biologia reúne-lhe as regras. Tudo nela é nascimento, crescimento, florescimento e perecimento. O comportamento dos homens também procede de movimentos análogos. A arquitetura e o urbanismo, que são os meios pelos quais os homens fornecem à própria vida sua moldura útil, exprimem, exatamente, os valores materiais e morais de uma sociedade. Neste ponto, ainda, a vida comanda a idéia: nascimento, desenvolvimento, florescimento, perecimento. O termo "biologia" convém eminentemente à arquitetura e ao urbanismo: biologia, qualidades de uma arquitetura e um urbanismo vivos. Biologia que gera plantas e cortes de edifícios, que coordena os volumes, que responde a funções, biologia que dota as circulações de flexibilidade e harmonia. A vida se desenvolve de dentro para fora; se desabrocha, aberta à luz e oferecida ao espaço. A arquitetura e o urbanismo procedem desta regra unitária: de dentro para fora, regra que julga com severidade em torno de si. Aqui temos, pois, o terreno construído determinado por elementos reunidos com objetivos úteis e que se apresentam outros tantos órgãos, coerentes como em organismos naturais.

A lei que confere vida às obras é a unidade existente na natureza e no homem. Assim que a regra é reconhecida e admitida, os parasitas, os resíduos não têm mais direito de cidadania. A renovação está no âmago dos acontecimentos naturais, periódica dentro do ano solar, ou por ciclos, como as civilizações. Nossas sociedades se renovam, também, incessantemente. Se soubermos nos colocar bastante alto, distanciarmo-nos da contingência quotidiana, ciclos e esta-

49

ções se destacam, surgem e se lêem. E as invenções espontâneas, ou em rosário de conseqüências, produziram rebentos tão vigorosos que, tendo posto abaixo (e embora isso nos custe muito e embora nos aferremos e nos agarremos ao presente degradado) uma civilização pré-maquinista, instituíram um novo ponto de vista, graças ao qual novos arranjos serão feitos, verdadeiras ferramentas nas mãos do indivíduo e do grupo.

Que a palavra ferramenta ofereça todo seu significado ao esforço de eficiência esperado dos novos órgãos que, agora, constituem nossa sociedade.

V AQUISIÇÃO DE UM INSTRUMENTAL

A ferramenta é o que prolonga utilmente os membros humanos. Tal acepção pode ser estendida a certos produtos do engenho humano, destinados, eles também, a auxiliar o homem: a habitação faz parte do instrumental, a estrada, a oficina e assim por diante.

As ferramentas deveriam estar a serviço das funções. E.T. Gillard as agrupa em três grandes eixos diretores, apoiados, cada um, sobre uma das três etapas fundamentais da evolução dos seres organizados: o estômago, o sexo, a cabeça; três órgãos que comandam a nutrição, a reprodução e as crenças, que, transpostos para o plano social, tornam-se valores econômicos, pa-

51

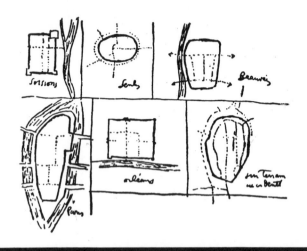

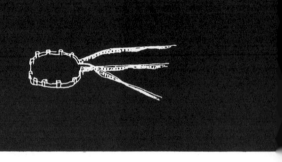

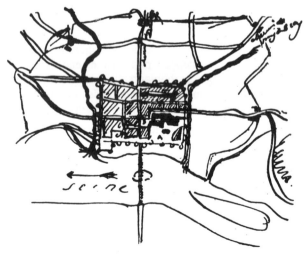

triarcais e espirituais, matrizes das instituições-chave econômicas, patriarcais e espirituais.

Esta dialética só nos é útil aqui para nos conduzir ou nos reconduzir a uma questão, a única capaz de dominar este debate: forjar as ferramentas, respondendo às funções da vida, habitar, trabalhar, cultivar o corpo e o espírito, aos quais um objetivo elevado, conquanto acessível, possa ser atribuído: *a alegria de viver*. A objetividade mais estrita não deixará de ditar planos.

As ferramentas do urbanismo tomarão a forma de *unidades* arquiteturais, sempre animadas de um rigor biológico, só ele capaz de responder às tarefas. Uma medida de tempo limitará a distribuição dos espaços: a medida solar das vinte e quatro horas quotidianas que cadencia nossos empreendimentos e nossos atos.

Robustez e saúde corporal, meio favorável à reprodução, alegria de viver persistente apesar dos caprichos e dos acasos dos destinos, tantos fins desmembráveis em muitos outros e que reclamam da arquitetura e do urbanismo *lugares e locais, objetos precisos e eficazes, ferramentas indispensáveis*. São fatos essenciais, constitutivos do domínio construído e semelhantes a seres vivos em sua unidade, sua integridade, sua harmonia, eles se governam perfeitamente.

Os "trovadores" que em suas seções de jornais cantam, periodicamente, a poesia das cidades antigas e dos campos de outrora, deixando de lado o drama dos "malditos" na miséria das podridões locativas e das granjas em derrocada, amotinarão o povo contra essas ferramentas e esse instrumental, propostos aqui para ligar a alegria de viver aos destinos do país, das cidades e das aldeias. Muito falarão quando aqui se fizer o inventário descritivo de um equipamento, distribuindo sobre a região objetos concebidos com a precisão e a força dos princípios e das regras, os únicos capazes de pôr em marcha planos destinados a serem construídos. As ferramentas são feitas de matérias e de disposições e não de frases e perífrases. Servem a nossas funções e estas compõem a vida quotidiana. Como seria belo, mas infelizmente quimérico, ouvir os trovadores cantarem a alegria da vida feliz, descoberta por eles na intensa construção desta sociedade da má-

53

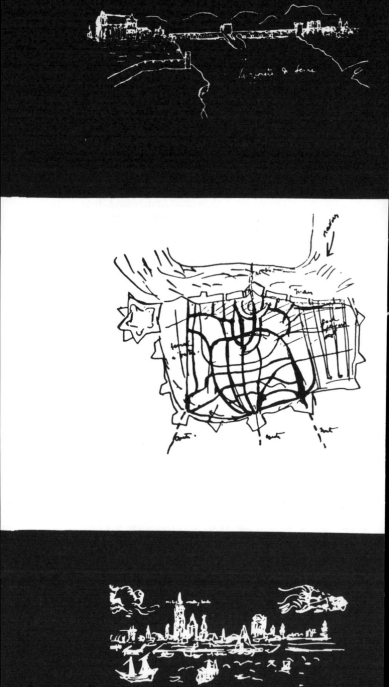

quina, dotada, enfim, dos móveis para sua casa, dispondo de verdadeiro equipamento e agindo a cada minuto com a liberdade de um pássaro no céu.

Isto porque a poesia pode estar inscrita no intento que determinou a forma dessas coisas.

O exame de um antigo instrumental de arquitetura e de urbanismo servirá como preâmbulo para proposições destinadas ao momento presente. Tal exame nos mostrará que as coisas têm *razão de ser*. E, quando não mais existem essas razões de ser, a razão ou o bom senso querem que elas não atravanquem, ainda mais, nossas vidas com o peso de sua inutilidade.

1. A razão pode ser conceptiva ou corretiva. Corretiva quando se trata de pôr ordem numa seqüência de acontecimentos nascidos e ocorridos independentemente uns dos outros — aventura que envolve o berço de tantas cidades; conceptiva, quando o espírito era senhor da ação e garantia a tarefa de assegurar aos homens, pelo urbanismo, as mais favoráveis condições de vida — acontecimento próprio de certas civilizações, de determinadas horas da história e de certos encontros favoráveis fortuitos.

Eis algumas formas de um urbanismo preconcebido, berço de cidades: os muros (*enceintes*) romanos da Gália. Este termo, que significa *aquilo que envolve,* qualifica, também, uma mulher que traz uma criança em seu ventre. Retenhamos destas imagens o princípio de uma forma voluntária, destinada a tornar-se o continente de uma cidade. Uma rede interior de circulação alimenta o solo assim protegido. Portas são abertas nos muros da *enceinte* de onde partirão as estradas que se adentram pela região.

Desse modo os romanos preparavam uma cidade, não hesitando em se submeter aos rigores e aos riscos de uma previsão. Mais do que riscos, essa sabedoria lhes fornecia certezas, elementos positivos de urbanismo, o meio de colocar os moradores em condições favoráveis.

Retenhamos o princípio da previsão, da forma preconcebida, espécie de medida comum entre uma regra humana e os elementos naturais de um terreno; retenhamos esta adoção da etapa, com seus riscos, mas sobretudo com suas vantagens.

2. Instrumental complementar: os romanos, depois de cercarem as cidades com muralhas, constroem torres para defendê-las.

Em seguida, de muito longe, a fim de se abastecerem de água, lançam os aquedutos, através dos campos.

Muralhas, torres e aquedutos constituirão, talvez, belos espetáculos arquiteturais e, mais tarde, ruínas comoventes. Mas isso não passa de uma conseqüência, possível transferência de uma intenção utilitária para um plano superior, plástico ou lírico.

3. O campo romano de Rouen tornou-se a cidade da Idade Média: permaneceram os muros, as calçadas e as praças. A catedral ergue-se lá onde era a basílica da justiça romana etc. *Fuori-muro,* a ponte e a estrada do Sul, as portas nos pontos cardeais, testemunham sempre, através das metamorfoses da cidade, a vontade romana...

Desenrola-se, então, a segunda etapa, que não mais se inspira por um espírito conceptivo resultante de uma grande experiência adquirida no decorrer dos milênios das civilizações que iluminaram de grandeza e esplendor a região do Mediterrâneo, mas, ao contrário, é deixada ao acaso das improvisações de uma sociedade feita de aluviões novos e, ainda, bárbaros. Rapidamente, fora dos muros, a margem dos caminhos vicinais ou das grandes estradas foi fechada por casas, petrificando traçados que deveriam ser só para o campo e não para a cidade e que, no curso dos anos, vão pesar bastante no desenvolvimento dos centros, implicando, ainda, por último, esta grave conseqüência de impedir qualquer traçado ortogonal e, ao contrário, impondo a rua curva, oblíqua ou tortuosa. Coerção que esmagará os séculos vindouros e, ainda, o momento presente. Deixaram que as coisas seguissem a seu bel-prazer e cessaram de forjar as ferramentas para o trabalho ou a vida da cidade.

4. Instrumental da Idade Média: a defesa das águas (o Sena); a escolha de uma ilha como ponto de apoio. Um recinto fortificado munido de seteiras e de torres. Onde a porta se abre, erige-se uma fortificação para defender a ponte levadiça, uma vez que a ponte de pedra do Sena se detém antes de atingir a margem.

57

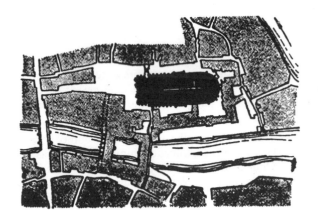

Sobre a ilha, ainda uma fortificação, dois arcos da ponte e, depois, mais uma fortaleza. O último trecho da ponte é de madeira que permitirá queimá-la, rapidamente, diante do assaltante.

Para além desse perfeito e minucioso instrumental de defesa militar é que começa o subúrbio, muito sacrificado, como é de esperar.

Na cidade, a catedral bem protegida ergue-se altaneira como instrumento de preces.

5. Antuérpia no século XVII: seus órgãos são tão claros e diferenciados quanto em uma caixa de ferramentas o martelo, a tenaz ou a tesoura.

a) Circulações que são o próprio sangue da cidade: o Escaut, aonde desembocam os carregamentos das Índias e das Américas; três estradas que levam à França, à Borgonha, à Alemanha. Antuérpia, na foz do Escaut, cidade de comércio cujo destino está inscrito na geografia.

Ao longo do rio, um instrumental de carga e descarga; no flanco leste do centro, as docas, com seus entrepostos, dotadas de estradas e canais em compartimentagem regular. No meio, um centro de residência, com suas moradias de mercadores e alojamento de operários, de artesãos, suas igrejas e sua catedral, sua câmara e sua praça das corporações, *centro de negócios*. A oeste, uma reserva de terrenos a construir. E, então, a defesa, a caixa-forte e suas fechaduras: em primeiro lugar, a fortaleza, na margem esquerda do Escaut, em frente das docas e dando-lhe cobertura; em segundo lugar, a oeste, uma outra fortaleza, dirigida contra os habitantes da terra; em terceiro lugar, por toda a parte, aliás, muralhas fortificadas, fechando a cidade, suas docas e futuros terrenos para construção.

Não se pode negar que esta cidade teve, na hora necessária, os edis de que precisava!

6. Se a cidade grega se expressava na retidão dos ângulos retos, por seus estádios, sua ágora, seu mercado, sua palestra, seus templos, a cidade ocidental é, durante séculos violentos, o teatro de lutas, também interiores, e sua óptica trai toda essa violência. Seu domínio construído compõe-se só de muralhas, seteiras, fortificações e torres. Instrumental de fera, esplendor comparável ao do tigre.

Paris

Rouen

Rouen

As mesmas famílias-tigresas importaram um motivo bizantino, a *loggia,* para nela jogar, durante as horas de descanso, xadrez e cartas, tocar música e dançar, dar banquete ou celebrar as bodas. Instrumental de prazer e de mundanidade.

8. Instrumental sagrado: a insigne catedral. Nau pura, dedicada ao fervor e ao entusiasmo. A nave é uma extraordinária conquista da pureza, fruto de um sistema construtivo perfeito. A equação matemática liga-se aí à metafísica e ao esoterismo. É aqui a sé do povo, resplandecente de vida e de fé, e do Deus que cada um escolheu.

O envoltório, epiderme de pedra sobre um esqueleto arrojado, é, às vezes, hirsuto. Tanto faz! Isso, aliás, não atrapalha a potencialidade criadora e permite aos espíritos sua livre expressão: aqui, Notre-Dame de Paris, ali, Notre-Dame de Rouen etc.

A grandeza da intenção não desmerece a grandeza material, e a altura, essa aspiração constante do homem, triunfa aqui e levará sua mensagem através dos séculos. Mensagem de coragem, de audácia e até de temeridade. O que, aliás, é uma bela mensagem.

Instrumento de grandeza e de esplendor, signo de um estado de espírito que soube, um dia, brilhar.

Esse rápido lance d'olhos retrospectivo deteve-se, especialmente, sobre um instrumental sempre renovado, no curso dos tempos: a defesa militar.

A natureza das armas ofensivas determinava a das armas de defesa. Época de muralhas, substituídas, mais tarde, por bastiões, redutos e redentes. A cidade continuava encerrada e como que sufocada. Daí tantos dispositivos contrários ao bem-estar dos homens: ruas estreitas e pátios.

Chegou o dia em que as armas ofensivas se riram das fortificações e, devido ao avião, as fortalezas não tinham mais teto; este acontecimento é recente, pois data da guerra de 1914. Daí por diante, as coerções militares assumirão outras formas e, até, ironicamente, a forma contrária, tomando a direção oposta dos dispositivos tradicionais: a defesa aérea recorre aos grandes espaços livres, às concentrações em edifícios estreitos, porém altos, à supressão dos pátios, exigências que, por milagre e por acaso, adiantam-se às iniciativas arquiteturais e urbanísticas, provenientes de outras causas, mas que reclamam, no entanto, dispositivos semelhantes. Isso porque se trata da habitação do homem.

Trata-se de arrancar uma sociedade de seus pardieiros, de procurar o bem dos homens, de realizar as condições materiais que correspondam, naturalmente, às suas ocupações. Instrumental a ser forjado pela forma, pelo volume e disposição de unidades perfeitamente eficientes, cada uma colocada a serviço das funções que ocupam ou deveriam ocupar o tempo quotidiano; unidades de habitação compreendendo a morada e seus prolongamentos; unidade de trabalho: oficinas, manufaturas, escritórios; unidades de cultura do espírito e do corpo; unidades agrárias, as únicas capazes de reunir os fatores materiais e espirituais de um renascimento camponês; enfim, ligando todos os elementos e lhes emprestando vida, as unidades de circulação, horizontais, destinadas a pedestres e automóveis, verticais.

Procurar-se-á, é claro, a eficiência. Porém a eficiência só poderá ser definida em função de um *a priori*. Esse *a priori* não é aqui a glorificação das técnicas, mas, ao contrário, sua colocação a serviço e em favor dos homens. Esse ponto de vista, após a tempestade do primeiro ciclo da era da máquina, constitui o fruto de uma nova filosofia. Assim, por exemplo, nessa hora em que as mais desenfreadas velocidades embriagaram muitos e fizeram com que técnicos e edis perdessem a cabeça, o andar a pé será considerado como primeiro objetivo desejável, *a priori,* destinado a influenciar o traçado das cidades. No momento em que a aviação se torna a senhora do inferno guerreiro e poderia pretender nos proporcionar as delícias da paz, o *a priori* será que o céu das cidades lhe seja interditado, uma vez que um céu silencioso e livre constitui um bem para o homem. E assim por diante.

Este modo de pensar significa conceber unidades eficientes graças à sua disposição interna, graças a uma virtude de certo modo biológica e, ainda, fazer o cálculo de sua grandeza útil. A determinação das *unidades de dimensão ideal,* frutos da revolução arquitetural realizada e de um urbanismo regenerador, cons-

62

titui a tarefa do momento presente. Criação de um instrumental constituído de unidades especificamente satisfatórias. Essas unidades na cidade serão como a comuna para a nação — a base da administração, pois uma unidade de dimensão ideal se administra perfeitamente por si própria.

VI CRIAÇÃO DE UM INSTRUMENTAL DE URBANISMO PARA USO DA SOCIEDADE DA MÁQUINA

Unidades de habitação:
Morada e prolongamentos da morada.

Fala-se aqui de instrumental, de ferramentas de habitação colocadas nas mãos de seres vivos e baseadas em constantes psicofisiológicas devidamente reconhecidas, inventariadas por pessoas competentes (biólogos, médicos, físicos e químicos, sociólogos e poetas). Essas ferramentas têm por objeto facilitar as condições de existência, realizar a saúde moral e física dos habitantes, favorecer a perpetuação da espécie oferecendo

65

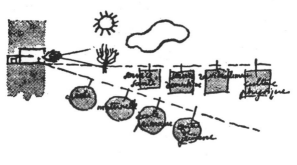

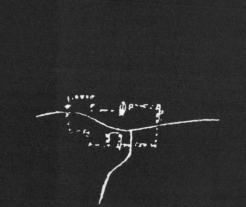

os equipamentos necessários a uma perfeita educação, proporcionar a alegria de viver e fazer aparecerem e se desenvolverem sentimentos sociais capazes de levar ao civismo; o civismo gerador de ação levará a comuna ao mais alto grau de consciência e de dignidade.

A morada é um *continente* que responde a certas condições e estabelece relações úteis entre o meio cósmico e os fenômenos biológicos humanos. Um homem (ou uma família) nela viverá dormindo, andando, ouvindo, vendo e pensando. Imóvel ou circulante, ela tem necessidade de uma superfície, bem como de uma altura de locais apropriada a seus gestos. Móveis ou arranjos são como que o prolongamento de seus membros ou de suas funções. Necessidades biológicas impostas por hábitos milenares, e que serviram, pouco a pouco, para constituir sua própria natureza, requerem a presença de elementos e de condições precisos, sob a ameaça de estiolamento: sol, espaço, vegetação. Para seus pulmões, uma determinada qualidade de ar. Para seus ouvidos, um quantum suficiente de silêncio. Para seus olhos, uma luz favorável e assim por diante.

As condições assim oferecidas pela morada não seriam suficientes. No atual estágio de seu comportamento de civilizado e de suas relações sociais, o homem de hoje exige serviços complementares, fornecidos por organizações exteriores à sua morada, serviços que se podem qualificar como *prolongamentos da morada.* Dizemos *prolongamentos da morada* para deixar bem explícito que tais comodidades essenciais fazem parte de sua vida quotidiana e, conseqüentemente, devem estar a seu alcance imediato. Se tal alcance se tornasse desmedido, seria incômodo, produziria cansaço e desgaste; males não são passageiros, mas quotidianos, isto é, renovados todos os dias durante a vida inteira. e que não perdoam. Vê-se bem esse fato em certas degenerescências ou em algumas crises sociais. Crise que acusa a ferramenta que nada mais vale; desgastada ou inoperante, não mais realiza seu trabalho, é boa para ser posta de lado.

Os prolongamentos da morada são de duas naturezas: primeiro, essencialmente material: abastecimento, serviço doméstico, serviço sanitário, manutenção e melhoria física do corpo. Em seguida, de alcance mais propriamente espiritual: creche, escola maternal, escola primária, a oficina da juventude.

A posição próxima ou distante dessas ferramentas quotidianas cria, na medida de tempo determinada pelas vinte e quatro horas solares, o agrado ou o desconforto.

A morada pode revestir-se de duas aparências: a da casa individual isolada, a do grande imóvel que dispõe de serviços comuns organizados. A primeira parece assegurar ao usuário a própria liberdade; a segunda, a coerção. A utilização das duas fórmulas numa coletividade provoca efeitos bem diversos dessa primeira conclusão apressada. Realmente, ao intervir a função *tempo-distância,* muda a situação a partir de um certo número de habitantes ou de um certo estado de insuficiência dos meios de transporte nos canais de circulação (ruas). Somente uma apreciação sensata dos diversos fatores atuantes permitirá escolher, oportunamente, a fórmula que oferece uma vantagem "humana".

Eis dois tipos de casas individuais que respondem a estados diferentes de sensibilidade, formas que convêm a pequenas aglomerações. Por outro lado, é indispensável saber que essa mesma forma, utilizada nas cidades-jardim de grandes cidades, provocou, pela grande extensão das superfícies ocupadas, a própria desnaturalização do fenômeno urbano e, a partir daí, o imenso desperdício moderno (meios de transporte, canalizações, tempo tomado do usuário) que devora orçamentos impossíveis e esmaga a sociedade moderna com essa carga inesperada que não passa de uma nova escravidão (pois a despesa só pode ser coberta por um prolongamento correspondente de trabalho, que se estende a duas, três, ou quatro horas diárias).

Mal que não se localiza em uma dada cidade infeliz e desgraçada, mas que se estendeu tanto ao velho quanto ao novo mundo: Paris e seus subúrbios, Londres, Berlim, Moscou, Rio de Janeiro, Buenos Aires, São Paulo, Nova Iorque, Chicago, Argel.

O respeito à função *tempo-distância,* ao restabelecer as condições humanas (biologia e cosmo), é auxiliado, exatamente, pela evolução atual da arte de cons-

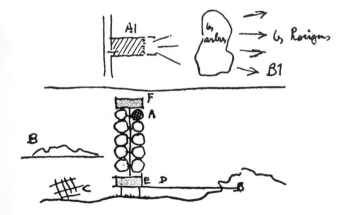

truir. Para as aglomerações de certa importância, a reforma estará na edificação de *cidades-jardim verticais,* substituindo as cidades-jardim horizontais.

A organização dos elementos necessários ao funcionamento fácil das moradas e seus prolongamentos pode ser expressa pelo seguinte esquema:

A morada A e Al está colocada em seu quadro natural: horizontes, insolação, vegetação. Seu meio, reclamado pela Carta de Atenas dos C.I.A.M., já em 1933: *sol, espaço, vegetação,* é assegurado por disposições administrativas. B e Bl situam árvores e horizontes. O solo natural é salvaguardado da melhor maneira possível pela separação feita entre o sistema de caminhos dos pedestres e o dos veículos mecânicos.

Desse modo, e apesar de uma ordenação vertical das células de habitação, obtêm-se também aqui as vantagens buscadas pelas cidades-jardim horizontais. Mas é através da organização de serviços comuns que se explica a razão de ser das cidades-jardim verticais.

Em C encontram-se vastas superfícies de terrenos disponíveis, parte dos quais será destinada ao esporte diário (terrenos para marcha, corrida, jogos de bola, piscinas etc.). Outra parte será reservada, dependendo da procura, a hortas individuais cujo agrupamento permitirá, no entanto, uma rega e uma irrigação quase automáticas. Os acidentes naturais do solo serão explorados para fins paisagísticos. Os caminhos para pedestres levarão a objetivos precisos, estando as pistas para automóveis separadas e independentes. Este último sistema, que corresponde ao serviço das unidades de habitação, será consideravelmente simplificado (pistas de estrada, em viadutos, em meia trincheira, em trincheira, em túneis).

A diminuição das cargas domésticas, que até agora sobrecarregam a mãe de família, realiza-se através de diversas inovações: instalação de uma central de abastecimento (em E) em cada unidade de habitação, assim como uma central de serviço doméstico hoteleiro a domicílio: em F, equipamento de uma *unidade de saúde,* constituída por salas de cultura física, instalações de hidro e helioterapia, por um serviço de medicina preventiva com dispensário, pequena clínica de urgência.

70

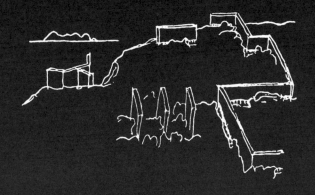

Da composição orgânica e arquitetônica em torno do esquema da figura anterior resulta uma organização característica do volume construído. Não seria o caso de uma composição simétrica em todos os sentidos ao redor de um eixo vertical, pois um dos fatores essenciais da morada, a insolação, depende de uma função que não é circular, mas frontal (o trajeto do sol, da aurora ao crepúsculo), e cuja altura varia do solstício de inverno ao solstício de verão. O volume construído torna-se uma resultante da biologia humana e de elementos cósmicos combinados. Atitude pura, perfeitamente regulada, admitindo, no entanto, tipos bastante diversificados.

Tais variações serão ditadas pela natureza do terreno (topografia e horizontes), pela orientação do bairro, pelo clima etc.: volumes construídos em Y (1), em espinhas (2), frontais (3), em redentes (4), cf. ilustração da pág. 71

Note-se, acima de tudo, que esses volumes construídos, concebidos como verdadeiras ferramentas, oferecem poder, riqueza, beleza e esplendor arquiteturais. Obedecendo a tais regras, as zonas de habitação apresentarão um espetáculo de clareza, graça, ordem e elegância [1].

Unidades de trabalho

A transformação das matérias-primas se realiza em oficinas, manufaturas, fábricas.

O trabalho de administração privada ou pública, no interior de escritórios.

O comércio, nas lojas e armazéns.

Os trabalhos agrícolas, no próprio solo; requerem, todavia, dispositivos de acúmulo e de distribuição dos produtos, de armazenamento e manutenção das máquinas.

Oficinas, manufaturas, fábricas, escritórios, lojas e armazéns, equipamento agrícola, outros tantos objetos precisos, ferramentas exatas, submetidas às regras da biologia humana, como às dos transportes e da circulação.

---

(1) Note-se que o elevador, deixado nas mãos do usuário, é limitado a uma velocidade de, aproximadamente, 60 metros por minuto. O outro, confiado ao profissional, dispõe de uma velocidade de 300 metros por minuto.

Essas ferramentas garantem a execução mais rápida e mais cuidada do trabalho, permitem a entrada e a saída de matérias-primas e de objetos manufaturados; devem oferecer condições indispensáveis de higiene; porém, mais do que isso, devem ajudar a suscitar a alegria no trabalho. O trabalho não deve impor-se como uma sanção, uma punição, ou o pagamento de uma dívida. Sendo ele a chave da existência, seria melhor que fosse encarado alegremente e, com a cooperação da organização, da boa vontade e da imaginação, se tornasse um exercício alegre, como já o é em certas vocações artesanais ou liberais; poder-se-ia dizer, com mais justiça: como já o é para certos indivíduos, para certos caracteres que, fazendo um suficiente esforço moral, viram surgir diante de si o ponto de vista favorável. Percebe-se muito bem que, em seguida a um esforço material e espiritual de organização, pode resultar uma ética que dará valor diverso aos encargos e às alegrias da vida.

CIDADE: OFICINAS, MANUFATURAS, FÁBRICAS

Superfície de soalhos iluminados: ar saudável, saída de poeiras, chegada e partida pontuais de matérias e de produtos. A oficina pode ser ocupada por uma, cinco, ou cem pessoas. Pode situar-se na aldeia ou na cidade, destinada a trabalhos artesanais: trabalhos de manutenção e de conserto, ou uma atividade tipicamente criadora. A oficina faz parte da própria vida da comunidade ou da cidade. Sendo de manutenção ou de conserto, depende das zonas de habitação (encanadores, serralheiros, marceneiros, eletricistas etc.). Quando se trata da criação de produtos de imaginação e de qualidade manual, situar-se-ão nos pontos de vida urbana intensa (costura, moda, encadernação, artigos de couro, ourivesaria, joalheria, relojoaria, fundição, artesanato de ferro etc.).

A manufatura exige as mesmas condições, mas desenvolve-se numa escala inteiramente diferente. Pode agrupar um número infindo de operários ou operárias. No entanto, o prédio não poderá estender-se sem obedecer a uma regra determinada pelas condições do controle. O controle (dar ordens e verificar sua execução)

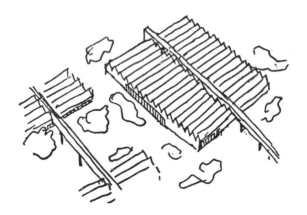

é em sua essência, confiado a uma só pessoa: um contramestre. O caminho que ele deve percorrer sem cessar, durante um dia de trabalho, o limite de sua visão determinam, precisamente, depois de experiências, a superfície que ele é capaz de fiscalizar. Surgem, então, unidades de superfície, diversas segundo as indústrias.

Podem constituir a base de divisão em compartimentos de uma área manufatureira, dentro de um vasto complexo de oficinas. Podem, sob outro aspecto, determinar o volume construído de cada oficina do grupo manufatureiro.

Oficinas artesanais, nas cidades ou vilas, manufaturas nas cidades lineares, umas e outras abrigando um trabalho que, de acordo com a arquitetura e o urbanismo, será feliz, melancólico ou desençorajante, podem, na medida em que levarem em consideração a pessoa humana, constituir as novas zonas verdes do trabalho, as "oficinas verdes", as "manufaturas verdes". Iniciativas que cabem às autoridades, transmitidas ao urbanista e ao arquiteto, fazendo entrar o elemento paisagístico entre os dados constitutivos da unidade de trabalho.

Uma noção instintiva, infelizmente, aviltada na desordem deste primeiro ciclo da máquina, impor-se-á, novamente, como condição essencial do trabalho: a conservação e a limpeza (janelas limpas, permitindo que penetre na oficina o espetáculo agradável dos gramados, das árvores e do céu). E não é uma proposição quimérica, pois já existem exemplos nos Estados Unidos, na Suíça, Alemanha, Tchecoslováquia, Escandinávia, etc.

A indústria pesada, com a sua exigência de locais de formas variadas, pode, por sua vez, através da arquitetura e do urbanismo, aliviar as condições mais rudes do trabalho: são, então, as "fábricas verdes", onde não só as máquinas são consideradas como um valor, cuidadas e conservadas meticulosamente, mas onde os homens — a mão-de-obra — constituirão o ponto de concentração de iniciativas fecundas. O trabalho pode deixar de ser uma opressão.

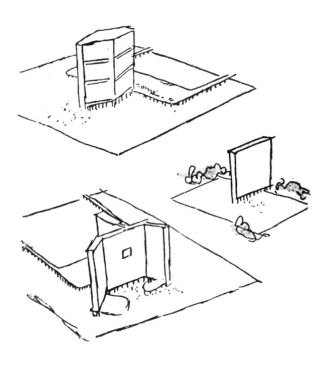

CIDADES: ESCRITÓRIOS, COMÉRCIO

Superfície de pavimentos iluminados, ar saudável, silêncio apropriado, facilidade dos contatos, emprego de um instrumental complexo de transmissão de idéias e de ordens pelo telefone, telégrafo, rádio, correio etc., o escritório é um local de trabalho destinado a uma, cinco, cem ou mil pessoas.

O escritório situa-se, naturalmente, no âmago das circulações urbanas. Local de contatos múltiplos, os escritórios precisam ficar próximos uns dos outros. De fato, em todas as cidades, eles se reuniram na mesma região — uma região específica da cidade: a "região dos negócios". Mais do que isso, tendem a reunir-se num único edifício, um móvel perfeito de escritórios: a cidade de negócios. Esse centro de negócios assegura os contatos e independências recíprocas, economia e rapidez. Em matéria de administração particular ou pública, o tempo assume um significado todo especial: é mais precioso, os minutos tem mais valor. A eficiência deve dominar para que as ordens e o controle possam reunir, com eficácia, todas as coisas e pessoas, no curto prazo diário: seis ou oito horas por dia.

Conforme a importância da cidade, segundo os recursos ou obrigações do plano urbanístico, de acordo, ainda, com um certo *gosto* que permita introduzir a escolha entre as várias formas admissíveis, os negócios serão agrupados no centro de negócios e este (bairro da cidade) constituir-se-á de um certo número limitado ou ilimitado de edifícios, especialmente concebidos e equipados para esse fim *unidade de escritórios* que freqüentemente pode resumir-se a um único edifício, constituindo então o *centro de negócios* da cidade.

Dois fenômenos ligados no tempo, mas que exigem a mais nítida separação no espaço, determinarão a biologia do centro de negócios: a circulação no solo (pedestres e veículos); o trabalho sedentário nos escritórios.

O centro de negócios determina, automaticamente, a maior concentração da cidade e, assim, um afluxo e um movimento intensos junto ao edifício ou aos edifícios. É, pois, natural reservar uma área apropriada de circulação e de estacionamento. Até aqui, os centros

77

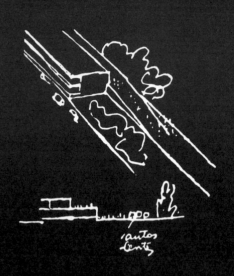

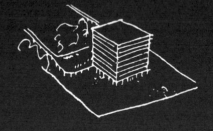

de negócios se desenvolveram ao acaso das iniciativas particulares, das mais odiosas concorrências, ao acaso, ainda, dos terrenos disponíveis e sem atender a um plano de urbanismo. Daí a inextricável situação de Nova Iorque e de Chicago, de Buenos Aires ou, de modo bem diverso, de Argel, Paris ou Londres.

Como a habitação, o escritório liga-se a uma certa ordem de condições cósmicas: a lei do sol (orientação de onde resultam luz, temperatura e radiações). Além disso, requer ar útil (teor e temperatura); iluminação mais favorável em todos os locais, a fim de permitir-lhe um *optimum* de utilização; contatos interiores ou exteriores, sendo o primeiro requisito a diminuição das distâncias (problema de circulação horizontal por andar e de circulação vertical por elevadores, elevadores de cargas, escadarias, escadas rolantes etc.); a forma, a superfície dos andares serão função precisamente dos limites impostos pelas necessidades de contatos rápidos. Para terminar, precisamos lembrar, ainda, a necessidade de poder dispor de locais suficientemente iluminados, pequenos, médios ou grandes, ou agrupados de modo útil, e a possibilidade, também, da obtenção de aumento ou redução em superfície ou em número, sem que isso acarrete incômodo para os vizinhos e, também, sem ameaça para a solidez do edifício.

Pode-se afirmar que jamais um aparelhamento foi tão precisamente definido por condições rigorosamente presentes e conhecidas quanto um centro de negócios de hoje.

De outro lado, o comércio cabe a lojas e magazines.

Uma primeira categoria essencial já foi classificada em seu lugar útil; o abastecimento transformado em função intimamente ligada à habitação.

Restam as lojas, ligadas de perto ou de longe ao artesanato e, ainda, os verdadeiros lugares de trocas modernas: as lojas constituídas de departamentos.

Várias formas são propostas e utilizáveis, segundo os casos:

A loja ligada ao artesanato pode constituir uma unidade urbanística significativa: a rua dos artesãos ou dos comércios de luxo.

Essa fabricação, que não está ligada à cobiça da fabricação em série, mas que apela, ao contrário, aos

79

gostos de cada um, exige locais para exposição e instalações muito bem organizados, freqüentados por um público prevenido, em horas de calma onde cada pessoa se sente um basbaque. Essas unidades assumem as mais variadas formas, entre as quais a da figura A é característica.

A loja constituída de departamento não passa de um vasto continente, de um imenso entreposto; uma circulação separada de pedestres e veículos precisa ser organizada junto a ela (B).

CAMPO: CENTROS RURAIS

Instrumental de recolhimento e distribuição dos produtos armazenáveis, manutenção e reparo das máquinas, eis o *silo* de cereais, de frutas, de legumes, de raízes (agrupamento dos produtos da terra em quantidades suficientes, triagem e classificação em qualidades regulares; prazo concedido de fato pelo abrigo garantido às colheitas e que protege os lavradores contra os exploradores). Como o motor a explosão, como a eletricidade, penetrando cada vez mais na vida agrícola, a mecânica intervém, exigindo locais apropriados e os cuidados de mecânicos especializados.

O novo instrumental de trabalho introduzido na vida agrícola implicará em formas especiais de reagrupamento rural, inserido na reorganização geral dos campos.

Unidades de lazer

Instrumental muito diverso, que vai do menor ao maior, do equipamento esportivo de uso diário ao grande centro de diversões populares capaz de reunir 100.000 pessoas: olímpicos, festas de ginástica, teatro ao ar livre ou grandes encenações, cortejos etc. Enfim, o instrumental dos lazeres espirituais (bibliotecas, teatros e clubes, salas de concerto e de conferências, salões de exposições etc. e tudo destinado, especialmente, à adolescência, os centros ou oficinas ou clubes de jovens).

A arquitetura é mestra nessas coisas extremamente variadas.

Os cafés, os restaurantes, as lojas (citadas acima) serão os vestígios da rua atual (lugar de formigamento desordenado), mas colocado em forma e em ordem, em estado de plena eficácia. Lugares tanto de contemplação quanto de sociabilidade, de burburinho e de uma certa confusão, característica do divertimento.

A cultura do corpo terá sua parte essencial no solo, doravante, em parques, zonas residenciais: jogos atléticos, de bola, natação, marcha e corrida etc.; a outra parte, o centro dos próprios edifícios, em locais destinados à cultura física, à hélio e à hidroterapia. Equipamentos todos perfeitamente definidos.

Unidades de circulação

CIRCULAÇÕES HORIZONTAIS

Elas têm uma primeira missão: dissipar a confusão entre as velocidades naturais (o passo do homem) e as velocidades mecânicas (automóveis, ônibus, bondes, bicicletas e motocicletas) por meio de uma classificação adequada.

O corolário será providenciar locais de estacionamento fora das pistas de circulação.

A palavra *rua* simboliza, em nossa época, a desordem circulatória. Substituamos a palavra (e a coisa) por *caminho de pedestres* e *pistas de automóveis* ou *auto-estrada*. E organizemos esses dois novos elementos, um em relação com o outro.

A ocupação do solo pelas *unidades de dimensão ideal* já estudadas (habitação com prolongamentos; trabalho; lazer) fornece os próprios dados do problema da circulação. Ela se classificará em:

1. circulação de trânsito (pedestres);
2. circulação de distribuição (pedestres);
3. circulação de trânsito (veículos);
4. circulação de distribuição (veículos);
5. circulação lenta (passeio) de pedestres e veículos reunidos.

O sistema dos pedestres será oferecido e dirigido de acordo com dados precisos — largura e itinerários.

A circulação mecânica (grandes velocidades) obedece a uma regra imperiosa: quanto mais rápido for o fluxo, mais retas serão as vias e mais largas as curvas;

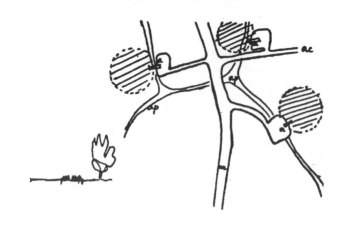

as margens da pista serão sempre paralelas, como o fluxo deverá ser constante, não se poderá tolerar qualquer estacionamento ao longo desses percursos; estacionamentos ficarão sempre em pontos especialmente arrumados e situados, normalmente junto dos edifícios que deles dependem.

As pistas de auto-estradas, por sua vez, poderão apresentar vários perfis: A, B, C, D, E etc., atendendo a objetivos diversos.

Finalmente, os cruzamentos dos veículos rápidos terão um sentido único, em praças circulares e, de preferência, em cruzamentos em níveis diferentes. Uma série de casos aparece segundo a complexidade dos problemas a resolver: em nível, no solo (M), ou em níveis diferenciados (P, R), obedecendo a regras precisas, do caso mais simples aos mais delicados. Os cruzamentos de automóveis instauraram uma técnica verdadeiramente científica, excluindo qualquer critério arbitrário.

Falta fixar a regra de passagem das auto-estradas nas cidades e nos campos.

Nas cidades que se organizaram ou que se reorganizaram pouco a pouco, as vias de auto-estrada atravessarão em trânsito e de acordo com o sistema mais direto, mais simplificado, inteiramente ligado ao solo, à sua topografia, mas totalmente independente dos edifícios que poderão ficar mais ou menos próximos uns dos outros.

A ligação entre esses edifícios será, então, assegurada por uma rede de distribuição que se comunicará com as vias de trânsito; cada uma das ramificações dessa distribuição alarga-se em sua extremidade, formando um parque de estacionamento, completado por uma garagem, partes integrantes, um e outra, da unidade de habitação ou da unidade de trabalho, de lazer.

Assim, os dois sistemas, o dos pedestres e o dos automóveis, podem ser conjugados e postos em funcionamento.

Finalmente, ainda temos que tratar, em certos lugares da cidade, de uma circulação combinada de veículos e de pedestres. Circulação lenta, circulação de

83

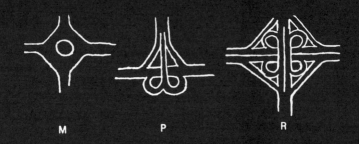

M P R

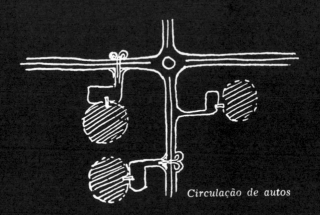

Circulação de autos

Duas rêdes

passeio, localizada em torno de pontos precisos: grandes serviços públicos da cidade, grandes lojas, locais de diversão, cafés, teatros, salas de reunião de toda espécie, que constituem o local obrigatório do passeio diário do citadino. Neste caso, parece muito natural a limitação das velocidades dos automóveis, bem como a interdição dos transportes pesados. Aqui, o pedestre segue ao lado do veículo: calçadas largas, ruas de automóveis, gramados, flores e árvores, mesas dos bares ficam em um mesmo nível.

Fora da cidade, a organização da estrada começou apresentando até agora duas maneiras diversas.

A primeira é a grande auto-estrada, que liga duas cidades por meio de uma pista cercada e defendida contra qualquer cruzamento; as travessas são consideradas subordinadas; só cruzam a auto-estrada em pontes ou túneis; sua saída na auto-estrada, fechada por uma porteira, é controlada por uma gurda-linha, a exemplo do que acontece nas passagens de nível das estradas de ferro.

A segunda nasceu nos Estados Unidos e tem o nome de *Park-Way*. Seu princípio é esculpir delicadamente, através dos campos, vias dominantes, também preservadas de todo o cruzamento perigoso por meio dos equipamentos em nível ou com diferença de nível. A aparência do *park-way* contrasta com as auto-estradas; o *park-way* pretende, antes de tudo, ser uma via de recreio, multiplicando as soluções paisagísticas e mostrando ter sido alvo de preocupações de ordem plástica. Tais vias desfrutam de um regulamento particular; são reservadas estritamente ao passeio e ao esporte e proibidas à circulação de caminhões pesados e transporte de ordem comercial. No fim deste capítulo, veremos por que e como nasceram nas proximidades de Nova Iorque e o que podem oferecer para o futuro próximo das cidades.

Resumamos: o esquema anterior exprime a solução harmoniosa dada à circulação, num bairro residencial, localizado em terreno muito difícil (muito acidentado).

Os métodos atuais, demasiadamente sistemáticos da engenharia civil e, muito particularmente, do Ponts-

-et-Chaussées, que se expressam pelo binômio exclusivo, ruinoso, destruidor da natureza e decepcionante: *corte e atêrro*, poderão mudar. A técnica dos *park-way*, em pleno contato amigável com a natureza — o solo e o que o cobre — torna-se uma ciência paisagística. Classificando as circulações, colocando ordem, ela salva as belezas agrestes, assegurando aos habitantes de uma dada zona residencial condições excepcionais de recreio. Mal o local é tocado, enquanto que, com os métodos utilizados em toda a parte, nossas cidades se tornam implacáveis armaduras de asfalto, concreto e pedra.

CIRCULAÇÕES VERTICAIS

A *unidade de dimensão ideal* de habitação, de trabalho ou de lazer é, na maioria dos casos presumíveis, um produto direto da altura. Com efeito, a solução é conferir altura à construção para ganhar terreno livre em torno dela.

Pretensão que seria quimérica se a técnica dos transportes em altura deixasse supor a menor falha. Na verdade, isso não ocorre. A experimentação não se fez na Europa, freada pelas tradições, mas na América. Os que não viram com seus próprios olhos, nos Estados Unidos, o funcionamento dos elevadores, viverão sempre no temor de todos os avatares imagináveis.

A América resolveu, em vinte anos, este problema, como no mesmo lapso de tempo foi resolvido o do mais pesado que o ar. Os números de 1938, por si só, constituem uma prova.

Em Nova Iorque, o metropolitano transporta, diariamente, seis milhões de passageiros; os ônibus e os bondes, três milhões. Os elevadores transportam cerca de quinze milhões.

Outro dado: o Rockfeller-Center (o arranha-céu mais importante de Nova Iorque) conta cento e sessenta elevadores, nos quais cada cabine percorre, por ano, 1.200.000 quilômetros, ou seja, trinta vezes a volta à terra.

O segredo da solução é: o elevador americano ignora o desarranjo, porque é operado exclusivamente por ascensoristas profissionais — mecânicos [2].

Para se ter uma noção clara sobre a utilização dos elevadores ou sua razão de ser, e do interesse que pode haver na sua utilização, bastaria colocar o problema do seguinte modo:

a) Estabelecer o preço de custo do trajeto em quilômetro vertical por pessoa e compará-lo com o preço de custo do trajeto em quilômetro horizontal, por pessoa.

b) A diferença obtida, que talvez seja a favor do quilômetro horizontal, compará-la com as várias despesas suplementares, impostas pela extensão ou dispersão das cidades, por exemplo: despesas de instalação e manutenção da pavimentação, dos meios de transporte mecânicos (trens suburbanos, ônibus, metrôs, bondes etc.), das canalizações (água, gás, eletricidade, telefone, telégrafo etc.); despesas suplementares, que incidem sobre a habitação dispersa; enfim, cálculo do valor do tempo perdido em transportes diários.

Desse modo será julgada a disputa entre a cidade dispersa e a cidade concentrada e, nesta matéria de circulação, será fixada a escolha entre duas concepções de exploração do progresso: circular a pé, na cidade, em parques, ou consagrar, todos os dias, duas ou três horas a transportes mecânicos longínquos. Parece que a resposta deveria ser a seguinte: o homem da civilização da máquina circulará a pé, no interior de sua cidade reorganizada. Nos planos de urbanismo, fará figurar, ao lado de tradicional escala métrica, uma outra escala: a da *hora de marcha a pé* (4 quilômetros por hora), cuja presença ao lado das escalas de medida levará a reflexões úteis.

Unidades de paisagem

Sublinhamos, no decorrer desta análise, o lado essencial atribuído às *condições naturais,* devendo estas oferecer uma justa compensação aos fatores artificiais, resultantes da máquina.

(2) S. Giedon: *Space Time in City-Planning.* Capítulo IX, p. 559, publicado pela Harvard University.

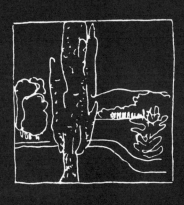

É, portanto, oportuno inventariar o *capital-natureza* disponível, fazer a contabilidade dos estoques-natureza: a natureza intervém de modo essencial na função de *habitar* (sol, espaço, vegetação). Está presente, também, na função de *trabalhar* (vegetação e céu). Desempenha papel importante na função de *cultivar o corpo e o espírito* (locais e paisagens). Acompanha a *circulação* (locais e paisagens).

Por meio da arquitetura e do urbanismo, os locais e as paisagens podem entrar na cidade ou, nela, ser um elemento plástico e sensível decisivo. Um local ou uma paisagem só existe por intermédio dos olhos. Trata-se, portanto, de torná-lo presente no melhor de seu conjunto ou de suas partes. Impõe-se ter em mãos essa fonte de benefícios inestimáveis. Um local ou uma paisagem compõe-se de vegetação de alcance imediato, de extensões planas ou acidentadas, de horizontes longínquos ou próximos. O clima fixa nele a sua marca ditando o que é capaz de subsistir e desenvolver-se. Sua presença será sempre percebida, tanto no que cerca o volume construído quanto nas razões que, por sua própria importância, determinaram a própria forma do volume construído. Ainda e sempre o sol comanda e reinará a unidade entre as leis naturais e o espírito dos empreendimentos humanos.

A pesquisa das *unidades de dimensão ideal* provocou a intervenção de elementos arquitetônicos e urbanísticos, todos autorizados pelas técnicas modernas, todos respondendo às aspirações mais legítimas da sensibilidade e todos satisfazendo com exatidão a materialidade das necessidades mais normais. Organismos nitidamente descritos, inteiros, desenvolvendo-se de dentro para fora, verdadeira biologia de cimento, de pedra, de ferro, de vidro. Sob a pressão das velocidades mecânicas, impõe-se uma decisão, urgente: *libertar as cidades da opressão, da tirania da rua!* Coisa atualmente possível.

Um exemplo possibilitará a compreensão do caminho percorrido. É tirado do urbanismo de prática corrente; mais que isso, do urbanismo em voga e proposto como exemplar, no ensino das escolas, aplicação dos métodos de reconstituição com vistas ao alargamento de ruas, de gabarito novo.

Fig. A. Uma ilhota de casebres.

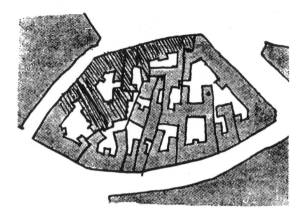

Fig. B. Reunificação da propriedade fundiária.

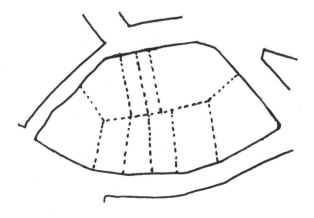

Fig. C. Novo dispositivo construído, feito de imóveis que dão para ruas e para grandes pátios.

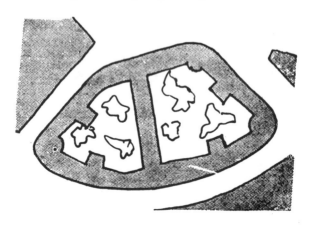

Resultado: 1. A rua continua um corredor, o lugar comum de passagem dos pedestres, dos carros, dos ônibus, dos bondes etc.;

2. as fachadas (suas janelas) se abrem para o barulho e a poeira da rua ou para pátios;

3. a orientação das moradas continua arbitrária, tributária de traçados de rua sem qualquer laço de direito com a regra do sol;

4. a vegetação destina-se aí unicamente ao embelezamento dos pátios, não participa da paisagem da rua e o ganho dessa falta será muito importante para a cidade;

5. o dispositivo adotado ignora os "prolongamentos da morada", chave do problema da habitação.

A situação resultante dos princípios desenvolvidos no decorrer deste estudo leva, ao contrário, à figura D.

Estendida às ilhas contíguas, ela dá início, espontaneamente, à libertação do solo com classificação das circulações dos pedestres e automóveis. A orientação racional da morada se faz naturalmente; os prolongamentos da morada acham, no solo, os espaços úteis. A cidade se transforma pouco a pouco em um parque.

Esse exemplo basta para qualificar a amplitude da renovação aqui proposta pela arquitetura e pelo urbanismo. Abolida *a tirania da rua,* todas as esperanças são permitidas.

No decorrer deste breve estudo sobre as *unidades de dimensão ideal,* tivemos a satisfação de descobrir, nos materiais de pesquisa postos à nossa disposição, pensamentos semelhantes, em todos os pontos, aos que constituem o próprio alicerce de nossa doutrina. Vêm de pesquisadores de todos os tipos e, aliás, de épocas diversas.

Hyacinthe Dubreuil afirma ter-se ligado, obstinadamente, ao estudo da *biologia do trabalho.* E ele ressalta o quanto nossa doutrina de arquitetura e urbanismo exige também uma biologia — uma sã biologia — que organize todas as suas partes.

O Dr. E.-T. Gillard, que confrontou a sabedoria ocidental à do Extremo Oriente, recorre à *alegria de viver* e procura as superiores equações da *harmonia* que tornam possível o contato entre a Natureza e o homem.

93

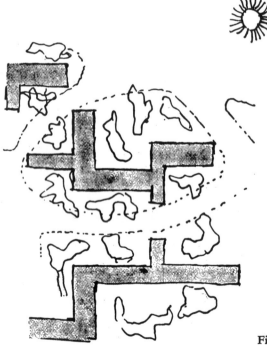

Fig. D.

Ch. Fourier, primeiro visionário da era da máquina, também ele toma (há já mais de cem anos) como padrão de suas construções sociais a *alegria de viver*.

Descartes abrirá à humanidade uma nova perspectiva (os tempos modernos), ao expressar a lei da Ordem universal. *Existe uma unidade entre as obras da Natureza e as obras do espírito humano.*

Essas leis biológicas, essa evocação constante da vida que anima objetos tão materiais quanto os volumes construídos ou os traçados urbanísticos, inscrevem-se, também, na vida das sociedades. Victor Considérant, nos começos da civilização da máquina, já preocupado com os mesmos problemas, afirmava: "As disposições arquitetônicas variam com a natureza e a forma das sociedades de que são a imagem. Traduzem, em cada época, a composição íntima do estado social, constituem seu exato relevo, caracterizando-o maravilhosamente".

Fourier o precedera: "Existem, para os edifícios bem como para as sociedades, métodos adaptados a cada período social".

Mas o tempo de Fourier e de Considérant não estava amadurecido. Esses sonhadores escreveram, por exemplo, que a água de uso doméstico pode ser levada a cada casa por meio de canos de metal. Loucura, responderam-lhes; já não existem para isso aguadeiros (todos morrendo de tuberculose) que a qualquer hora levam água para o 1º, 2º e, às vezes, até ao 6º andar das casas, uma vez que sejam pagos? Do mesmo modo, para uso das cortesãs e dos bons burgueses à beira da morte, os banhistas não subiam uma banheira de zinco com a água quente necessária, a domicílio?

Utopia!...

O comum dos mortais tem horror, terror pânico das mudanças; não chega a conceber como de uma coisa se pode passar a outra. Medo que é o grande freio das sociedades.

Os Estados Unidos, à medida que iam ocupando seu imenso território, urbanizaram suas cidades sobre o tabuleiro de cerca de 120 metros de lado da primeira colonização espanhola, francesa, holandesa e inglesa. Alguns séculos após, arranha-céus de 200 ou 300 metros de altura ladeiam essas ruas concebidas, outrora,

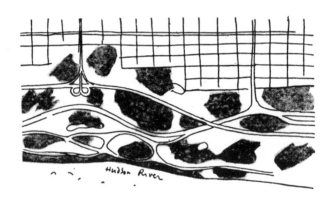

Hudson River

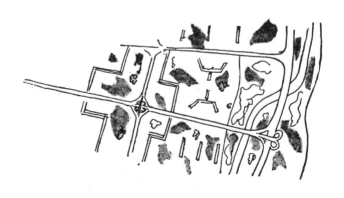

para os calmos deslocamentos dos homens, dos cavalos ou dos bois. Nova Iorque ou Chicago estão a tal ponto sobrecarregadas, congestionadas, atravancadas, que se costuma dizer: "Não há cura para tal doença".

E nada mais é que caos indescritível.

A mim me parece, à primeira vista, que a teoria dos *park-ways* destina-se apenas a proporcionar um remédio calmante a essas populações, lançadas freneticamente nesse jogo implacável dos transportes mecânicos — na realidade, com ela só foram atingidos os milionários que residem nos belos campos longínquos de Connecticut, ao norte de Nova Iorque.

Isto posto, e o Connecticut embelezado com essas maravilhosas estradas de luxo e de recreio, foi possível fazer algumas observações sobre a hierarquia relativa dos vários circuitos rodoviários. Verificou-se que a velocidade homicida de mais de 100 quilômetros por hora exigia um regulamento rodoviário hierárquico e uma disciplina implacável.

Num passado bem recente, o *park-way* começou a cinturar a cidade: os limites de Nova Iorque, às margens do Hudson, eram um lugar de conflitos de circulação abomináveis: carretas vindas das docas, afluxo súbito de gente e de mercadorias na mais total confusão, em vários pontos da margem, quando chegavam ou zarpavam os navios...

O *park-way* foi instalado, com suas diferenças de níveis, determinando as classificações úteis. Seu traçado, aqui tornado *utilitário,* nem por isso deixou de caracterizar-se por uma certa graciosidade, um enlace feliz entre a técnica e a natureza. Esse park-way da margem do Hudson instala uma verdadeira faixa de esplendor no flanco da cidade, expulsando a desordem das instalações portuárias ainda frágeis. E da cidade de rígido quadriculado, com circulações absurdamente obstruídas, sujeitas a um regime de leitos privativos de estacionamento, recortadas por cruzamentos ridiculamente próximos uns dos outros, já se abrem exutórios para o *park-way.* Nesse organismo, nesse corpo urbano, que parecia irremediavelmente condenado à paralisia, à ossificação, eis que surgiu um elemento biológico; não passa ainda de um contorno, de uma faixa da cidade, porém algumas ramificações já estabeleceram contato com o sistema interior que, um dia, terá que se submeter à subida de uma nova seiva — transformação que dotará a cidade de um autêntico sistema de unidades construídas que muito bem farão aos homens.

A América, definitivamente paralisada em suas ruas petrificadas, descobriu, na hora certa, o *park-way;* a Europa sufocada, esmagada sob sua herança de cidades seculares, conseguiu extrair o princípio de uma biologia regeneradora do volume construído: as unidades de dimensão ideal. S. Giedion, em sua história da arquitetura, escreve: "O *park-way* é o prenúncio da primeira reforma necessária para o desenvolvimento das cidades do futuro: *a supressão da rua-corredor.* Não há mais lugar para uma rua repleta por uma circulação sufocada entre dois muros de casas; tal situação não poderá manter-se. O *park-way* marca a etapa de separação, de classificação entre circulação e terreno construído. É o ato precursor do movimento que, depois das operações cirúrgicas indispensáveis, reduzirá as cidades engurgitadas e tentaculares a uma dimensão normal. Então, o *park-way* entrará no centro, percorrê-lo-á como agora percorre o campo, tão flexível e livre quanto se tornará, por sua vez, a planta da própria morada" [3].

(3) Ver o apêndice.

98

VII TENTATIVA DE EXPLORAÇÃO URBANÍSTICA

O domínio construído (arquitetura e urbanismo) é a imagem fiel de uma dada sociedade. Os objetos construídos são os documentos mais reveladores. Ainda mais, é preciso que a época tenha atingido seu ápice. Nas horas de mutação, grande parte da coisa construída só está escrita nos planos dos precursores; no entanto, tais planos têm valor absoluto e tantos direitos à atenção quanto todos os demais exemplos construídos, já que muitos e muitos trabalhos de laboratório balizaram as doze décadas da primeira era da máquina, formando um embasamento de indiscutível segurança.

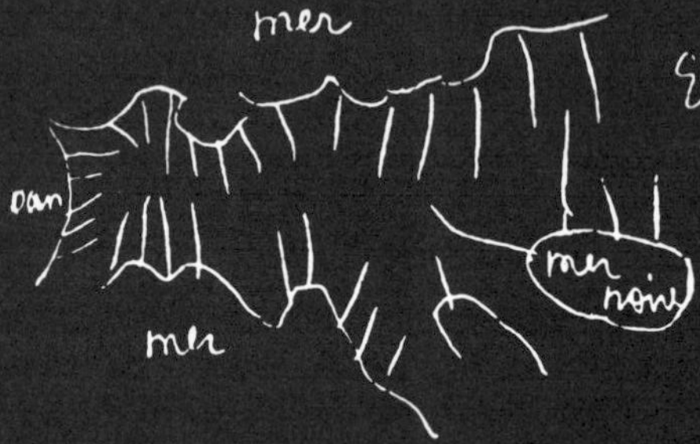

mer

par exemple:
Europe.
la pente des
eaux
institue des
chemins
naturels

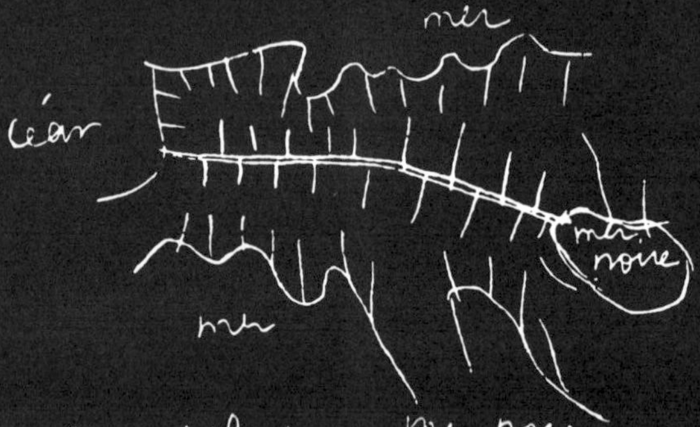

océan

mer

mer noire

mer

océan

mer

mer noire

mer

le Canal Atlantique Mer-noire,
c'est un exemple possible
de voie de passage des
matières premières, de lieu
aussi de leur transformation

les circulations permettent d'ocuuse
la terre : le réseau de leurs routes
s'inscrit, sur le sol, comme règle

Desse modo, a qualquer hora do dia, ou do tempo, espíritos engenhosos, predispostos à realização dessa tarefa, estão jogando o jogo de hoje, que é discernir os caminhos de amanhã, que permitem a uma dada sociedade cumprir sua missão e ganhar seu sustento. É assim que o rebanho é conduzido. É assim que se prepara o amanhã.

A trajetória é especial; distraindo-se ao longo das pistas que podem parecer inesperadas, paradoxais ou há muito desprezadas, ela vai e vem, voltando no tempo e atravessando a geografia. Um traço, um esquema permite instalar, sobre a folha de papel, a figuração de um pensamento, de um ciclo, de uma época, mesmo futura; as figuras entram em equação; esta álgebra gráfica tem suas regras; sua velocidade conduz o explorador a *enjambements* que, desmanchando o nevoeiro, põem a nu o princípio. Aparecem assim as linhas diretoras da etapa já abordada, cujo sentido, porém, não se apresentava aparente a todos. De acontecimento acidental, tal manifestação torna-se, ao contrário, um fenômeno caracterizado, revelando as condições de seu desenvolvimento, ficando lado a lado com as coisas existentes, das quais umas têm toda a razão de permanecer e outras de se apagarem, deixando lugar a nadas que se tornarão grandes coisas, elementos vitais da vida iminente.

Será que uma tentativa de leitura, feita com seriedade, sobre os problemas da aviação, há cincoenta, trinta ou vinte anos atrás, não teria sido suscetível de orientar um grande número de decisões que tiveram de ser tomadas na improvisação perigosa do sentimento, ou do interesse ou do pânico?

O domínio construído é, em todas as suas conjunturas imagináveis, infinitamente mais delimitável. Raciocínios a seu respeito podem alicerçar-se sobre suas realidades de construção, geográficas, sociais, econômicas. E, aliás, em toda mutação há um momento excepcional, eminentemente favorável. Não constitui leviandade acreditar que esteja soando hoje a hora da mais necessária previsão.

Situemo-nos na mais indiferente generalidade: uma parcela de território suficientemente vasta para conter

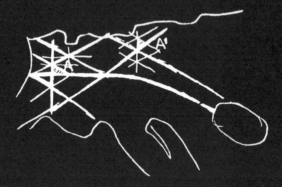

les cuputoirs, en périphérie, sont
spontanément reliés par un
réseau de routes diagonales et
orthogonal.

Il en résulte, en fin de compte
un parcellement d'un unité
triangulaire A ou A¹

Cette forme constitue la loi
des moyens de circulation

os elementos diversificados de um continente. Eis uma Europa sugerida, nada mais, com uma orla de mar no alto, uma orla de mar embaixo, um oceano a oeste, um mar Negro no lado oposto... A vertente das águas instituiu caminhos naturais. Homens e coisas descem naturalmente para os mares.

Um povoamento mais intenso, porém, completou os espaços do território. As Américas haviam sido descobertas e, mais recentemente, a máquina a vapor. O silêncio do Oeste encheu-se de imensos rumores, vindo a vida doravante bater no limiar do Oceano; a navegação a vapor criou este estado novo. A leste, uma estrada de ferro serve de pista às locomotivas, porém o passo dos camelos das caravanas nas areias ou nas estepes, até o Bósforo, deixou de ser ouvido.

Certo dia, o canal Atlântico-Mar Negro pode ser cavado, exemplo possível de uma via de passagem das matérias-primas, de um local possível da transformação delas ao longo das margens do canal.

Irrigação nova do continente, complementar, cheia de conseqüências, de promessas e de riscos. As circulações permitem ocupar a terra. Não se introduz, assim impunemente, um formidável canal, transportador das seivas de hoje e de amanhã.

Na periferia, a partir dos exutórios, lançaram-se ou se lançarão grandes vias de penetração, de ação ou de possíveis negócios, figurando diagonais estreladas ou losangos.

Examinemos a textura deste sistema: as diagonais e as ortogonais (que podem resumir todo o sistema) determinam cortes em que as últimas contêm um triângulo retângulo A ou um triângulo qualquer A', conforme, no fim de contas, as vias de comunicação se cortem em estrelas de oito ou de seis pontas.

Resulta daí um parcelamento em unidades de base triangulares A ou A'. Parece que reside aqui, neste acontecimento, *a lei das circulações.*

Qualquer território de tamanho suficiente pode exprimir-se por um patamar dentro de encostas e aberto para uma planície mais ou menos extensa, alinhada com um litoral. Este mesmo fenômeno divide, por sua vez, as encostas, formando, agora, patamares de importância variada, no fundo dos quais desce um rio ou

103

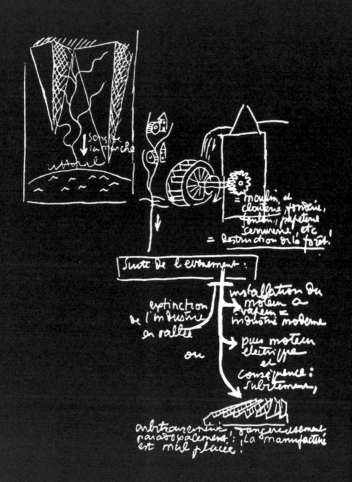

uma torrente. Todos, reunidos em um rio, são conduzidos ao mar.

A zona das encostas forma a região das águas vivas.

Já bem longe, no passado, os homens aí instalaram a roda d'água para acionar o moinho e o pisão e a forja; a ferraria, a fundição e a serralheria foram agrupadas em torno dessa força tirada da natureza. A indústria encontrou, aí, seu lugar natural.

O ferro existe em toda a parte, nas montanhas, em minérios mais ou menos ricos; a floresta fornece o combustível.

A indústria alojou-se lá onde era utilizável a energia das águas vivas.

A floresta acaba um dia por se esgotar ou por ficar ameaçada de esgotamento. Leis proíbem, então, de tocá-la. A indústria no vale morre.

Produziu-se o acontecimento inesperado: a descoberta da máquina a vapor. A máquina a vapor irá ao vale, juntar-se ao moinho, criando a indústria moderna. Depois, o motor elétrico, por sua vez, suplanta o vapor. E, de repente, arbitrária, paradoxal e perigosamente, as indústrias modernas encontram-se mal situadas — situadas a despeito do bom senso — instaurando em torno de si a seqüência das contradições, dos paradoxos, das anomalias desastrosas ou, simplesmente, perturbadoras.

Certas indústrias de vale estão mal situadas.

Por outros motivos, também acidentais, outras indústrias invadiram as cidades, rodearam-nas, provocando o enorme mal-estar atual.

Prossigamos a exploração iniciada.

O crepúsculo de uma civilização e a aurora de uma nova foram marcados por invenções mecânicas: o regime milenar das velocidades de "4 km/hora" (passo do homem, do cavalo, do boi) passou, brutalmente, ao de 50, 100 e mesmo 500 km/hora, para o transporte de pessoas e de produtos e ao regime, ilimitado, do telégrafo, do telefone, do rádio, para o transporte de idéias (informação, comando, ordens e controles).

Em nossa exploração, cabe separar, da confusão atual, o processo natural eficiente, econômico e elegante

105

dos atos regulares de uma sociedade espalhada sobre um território. É preciso instituir um instrumento de medida[1] que permita julgar o valor das soluções. O ponto de vista ASCORAL será o seguinte:

A eficiência calculada não em relação ao *dinheiro*, mas ao *homem;* — o homem sendo instalado em seu meio — o meio próprio de sua ação, de sua existência.

Na verdade, trata-se de *ocupação do solo,* para fins diversos: produzir e trocar para consumir (alimentar, vestir e divertir-se).

Produção

---

a)   Produtos da terra — agricultura;

b)   Produtos da máquina — indústria. Transformações;

c)   Trocas e distribuições — comércio.

Ocupação do solo

A)   Fazendas, aldeias e centros rurais;

B)   Centros industriais:

C)   Centros de administração pública, privada,
        de comércio,
        de pensamento, de arte,
        de governo.

A mutação dos tempos atuais incide, pois, segundo nossa escala de medida (o homem, o bem do homem), sobre a revisão e a harmonização das *condições de vida*

	Abastecimento	o econômico
Condições de vida	Habitação (e seus prolongamentos)	o patriarcal
	Sociabilidade	o espiritual

(1)   **Tese** do Dr. E. T. Gillard.

106

Esta síntese em três colunas contém os elementos mesmos de uma doutrina de urbanismo, espiritual e técnica. A escolha favorável das *condições de vida* é a finalidade atribuída ao menor de nossos empreendimentos, produto do balanço-ação e, ao fim de contas: alegria ou não de viver. Os três fatores seguintes englobam (para nós, urbanistas) uma parte dos problemas agrários e industriais, pondo em jogo o econômico: é o abastecimento que está ligado ao estômago, isto é, ao próprio ser, ao seu quotidiano mais imperativo. O problema da morada e de seus prolongamentos compromete a perpetuação da espécie — pré-natalidade, natalidade, eugenia e puericultura; aqui se acha empenhada uma parte essencial das forças instintivas e da sensibilidade: o sentimento patriarcal. A sociabilidade põe em causa grupos pequenos ou imensos, independentes ou unidos, que podem ser levados tanto ao respeito recíproco, à estima e mesmo ao amor, quanto ao ódio, à desconfiança, à rivalidade. Aqui pode ser despertado o altruísmo, produtor de imensos e magníficos trabalhos, que, por sua vez, trarão consigo entusiasmo e orgulho.

Esta *condição de vida,* levada ao seu mais alto grau, não deixará de ocupar nossos espíritos, mantendo presentes em nosso trabalho os três grandes elementos animadores: econômico, patriarcal, espiritual [2].

Retomemos os três objetos da ocupação do solo: *a*) terra; *b*) indústria; *c*) trocas.

Unidade rural

Examinemos o fenômeno agrário segundo *a lei das velocidades.*

Por que nos submetermos a esta lei das velocidades? As diversas e contraditórias soluções propostas para o despertar da agricultura parecem ressentir-se de um fator indiscutível, enroscadas que estão no inextricável sistema dos casos (duvidosos) de espécie. Instalemos aqui o próprio acontecimento revolucionário:

Reconhecer, na vida agrária, o que está estritamente (e sem possibilidade de modificação) submetido à velocidade de 4 km/hora; admitir, por outro lado, que o tabuleiro de estrada dura, instalado nos campos

(2) Dr. E. T. Gillard, *Synthése Universelle.*

107

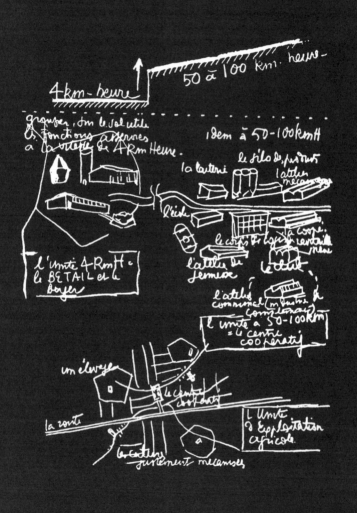

e que poderá receber os veículos mecânicos (o motor e todas as suas conseqüências) é (ou será sempre) a varinha de condão, a única capaz de resolver os dados do problema representado pelo seguinte quadro.

Desde logo, reconheçamos na unidade agrária o que sofre a lei dos 4 km/hora: o gado e os pastores. Seu equipamento, o estábulo, a meda de feno (ou o celeiro de palhas), o silo de forragens e o armazém--cozinha da alimentação do gado, a morada dos pastores. Seu território: o pasto.

Estabeleçamos, em seguida, o que beneficia ou está pronto a usufruir da lei dos 50-100 km/hora. É o centro rural, de que há muito se fala e que agrupa a usina de leite, o silo dos produtos agrícolas, a oficina mecânica e o galpão das máquinas agrícolas e das ferramentas de arar e, finalmente, a oficina (ou pequena manufatura) de indústria complementar.

Temos, ainda, o corpo da moradia, a cooperativa de abastecimento, a escola, a oficina para a juventude e o clube, com seu terreno comum de esportes.

Esses acontecimentos rurais não são iminentes; mas, chamados a balizar o futuro, deixam prever, em ampla medida, o modo de reconstituição capaz de reflorescer a vida campesina. Fixados a princípio pela geografia natural, o ou os pastos. Depois, próximo à estrada mais importante (mas não à sua margem), o centro rural. Enfim, as culturas *exatamente mecanizadas* (mono ou policultura). Mas a figura da página anterior nos dá uma idéia antecipada, mas precisa, da possível evolução da agricultura.

Uma, duas, três aldeias ou mais. A igreja, o cemitério, as fazendas sólidas, ainda permanecem; as fazendas esmagadas pela velhice não serão reconstruídas. As aldeias serão os postos de espera do curso da mutação.

O centro rural.

O ou os pastos, com seus estábulos e anexos.

As culturas de hortaliças (para o consumo local ou para venda).

Os pomares.

Os cereais, as raízes e os tubérculos, as vinhas etc. segundo a região.

Inúmeras estradas de leito plano.

A caixa d'água, o centro das forças civis e cívicas no âmago do centro cooperativo.

O centro industrial

Passemos ao centro industrial, local de transformação das matérias-primas.

Neste estudo, examinamos as unidades de trabalho e reconhecemos suas formas específicas: oficinas, manufaturas, fábricas. Sua localização será, naturalmente, o mais próximo possível da passagem das matérias-primas e das mercadorias.

Os meios de transporte a considerar são: o caminho pela água, por terra ou por estrada de ferro, independentes ou agrupados dois a dois, ou, melhor ainda, conjugados, os três, em lugares determinados pela geografia da região, do país, ou mesmo de um conjunto de países, decisão que será esclarecida pela geografia humana no próximo capítulo.

A via pela água, verdadeira base dos transportes pesados modernos, conjuga, então, harmoniosamente, dois fenômenos até aqui antagônicos e dos quais um — a indústria — vivia ferozmente à custa do outro — a agricultura.

Lembramos que o problema visa às condições de vida — pretendendo instaurar melhores condições de vida.

Más condições presentes na vida industrial:

a) tumulto e desordem;

b) falta completa de *condições de natureza;*

c) afastamento desencorajador das zonas de habitação (transportes mecânicos diários, onerosos para o usuário e, ao final, ruinosos para a sociedade;

d) resultante das cidades concêntricas, irradiadas, industrializadas de hoje, mercado abundante de mão-de-obra e sua conseqüência: instabilidade e nomadismo das populações operárias;

e) deserção dos campos.

Boas condições que devem orientar a vida industrial:

a) ordem e limpeza;

b) restauração das *condições da natureza;*

110

c) proximidade dos locais de habitação e supressão dos longos transportes diários de pessoas;

d) supressão do nomadismo pela instalação dos dispositivos pontuais do centro industrial linear;

e) tomada de contato real e harmonioso com a vida campesina.

Manifestação excepcionalmente feliz das condições de vida, completando a trilogia econômica, patriarcal e espiritual: a sociedade da máquina, dominando suas máquinas, é senhora de sua indústria. E os centros industriais, até aqui sede de feiúra e de tumulto, tornam-se os locais propícios para um trabalho otimista ("fábricas verdes").

A ilustração da página 112, no alto, mostra:

1. O canal ou o rio;
2. a estrada de ferro;
3. a estrada;
4. as oficinas, manufaturas e fábricas;
5. a zona verde de proteção;
A. a habitação em cidade-jardim horizontal;
B. a habitação em edifício munido de serviços comuns (cidade-jardim vertical);
C. habitação semi-rural;
D. prolongamentos diversos da morada; escolas, salas para juventude, clube, esportes etc.

O centro do problema foi atingido: se a indústria se desenvolve, nesses traçados, segundo as melhores possibilidades, a morada atinge, por sua vez, sua solução ótima: de acordo com as idades, o estado civil, segundo os gostos particulares ou os temperamentos, segundo inúmeras variáveis possíveis, a diversidade na escolha de uma morada — definitiva ou temporária — atende a todas as manifestações da personalidade.

Outras possibilidades, no entanto, surgirão, no decurso de nossa exploração.

O centro industrial linear possui sua biologia precisa. Não é uma faixa de comprimento ilimitado. Pela força das coisas, ele tem contatos com a extensão (a região e o país), o tempo (o passado, o presente e o futuro). Na verdade, a procura dos locais de passagem leva-nos à via aquática, à estrada e à ferrovia. Este percurso racional, que procuramos aqui, recortará ou

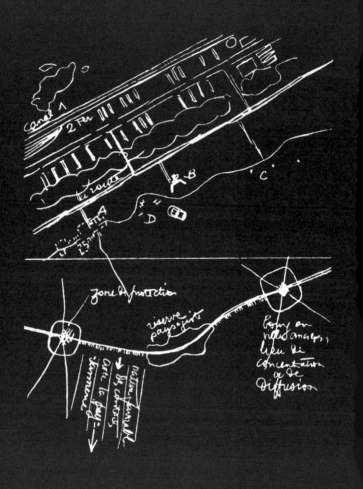

reencontrará os traçados mais antigos, pois as rotas da história são os produtos da geografia.

O centro linear será, pois, seccionado onde encontrou velhos centros instalados no cruzamento dos caminhos (burgo ou cidade antiga, lugar de concentração e de irradiação). São as plataformas giratórias, o lugar das trocas. Tornar-se-ão o exutório do centro linear para a extensão e a profundidade da região, contato estabelecido com a sociedade.

Nessa mesma imagem surge um outro contato salutar; contato com a terra, *regular, íntimo; andar a pé,* em direção ao campo; contato direto de uma sociedade industrial que age ao longo de uma linha, com uma sociedade campesina imediatamente contígua a ela. Que tipo de contato? Não uma confusão, uma tentativa falaz de misturar duas ordens de coisas que estão, talvez, sujeitas a regras que não permitem a passagem de uma para outra, dentro das vinte e quatro horas quotidianas: o operário da fábrica, regido pela lei solar diária de *vinte e quatro horas,* o camponês, pela lei solar *anual* (365 dias e quatro estações). Regras que parecem implicar em comportamentos que diferem profundamente e difíceis de confundir em um único.

Os contatos serão de ordem social e não profissional; não são as mãos que devem aproximar-se num gesto que não passaria de concorrência, mas as cabeças, numa atitude que é um ato de boa vizinhança. Estabelece-se, assim, uma unidade de pensamento que deixará de opor como adversários de sempre o camponês e o operário.

A imagem realça, ainda, uma decisão peremptória: o centro linear industrial estende-se somente de *um* lado das vias de passagem e, não, dos dois lados. Não fora assim, essas vias (canal, estrada de rodagem ou de ferro) seriam cortadas a cada minuto, trazendo um entrave redibitório. Pelo contrário, a outra margem pertence à terra, à vida rural.

O centro linear possuirá os meios de transporte mecânicos longitudinais, os mais apropriados para pessoas, materiais e produtos. Poder de movimento pertencente a todos, serviço comum eventualmente gratuito, independentemente de todos os sistemas que cortam a região.

113

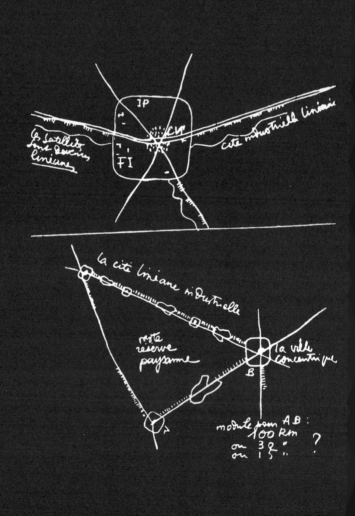

Na extremidade de cada trecho de centro linear está prevista uma zona de proteção, uma reserva de território.

No meio de seu percurso, uma outra reserva, desta vez paisagística, servirá a várias utilizações imediatas ou futuras.

Eis-nos em uma das extremidades de um elemento de centro linear, onde ele limitaria com uma aglomeração *concêntrica* e *irradiante,* caso não estivesse reservada a zona de previsão e isolamento. A influência do centro linear sobre a aglomeração — e reciprocamente — pode ser bem diversa, segundo a importância de uma em relação à outra. Reação certamente feliz se os contatos das duas aglomerações forem bem preparados.

A aglomeração concêntrica irradiante, núcleo existente, pode abrigar 10.000 habitantes ou um milhão. Costumes, intensidade, "voltagem social" caracterizados.

IP, na ilustração da página 114, no alto, designa a zona de isolamento e previsão, em que podem ocorrer muitos acontecimentos importantes ou nada acontecer. Realmente, neste grande espaço disponível, ocupado por campos, pradarias, pomares ou bosques, poderão instalar-se em condições excepcionalmente favoráveis, anexos do centro industrial linear, tais como escolas técnicas especializadas e laboratórios, locais corporativos ou de sindicatos etc., bem como os equipamentos favoráveis à cultura do corpo e do espírito: estádios para as grandes competições espetaculares, bibliotecas, teatros — em suma, todos os elementos de um lar intelectual que age segundo cada caso. A antiga aglomeração (burgo ou cidade) poderá beneficiar-se de parte dessas novas instituições, sofrendo, assim, os efeitos felizes de uma revitalização. Mas a recíproca é válida: a aglomeração, com um potencial espiritual poderoso, faz com que o centro industrial linear se beneficie dos recursos preciosos de seus equipamentos e de suas mais vivas tradições.

Resumindo, CV', CI e FI coabitarão sem atrito nem antagonismo, cada um dos três contribuindo com suas energias e reagindo suavemente aos outros dois.

Saliente-se que, em suas relações recíprocas, a cidade industrial tornou-se "satélite linear" da aglome ração radioconcêntrica, fórmula que substitui os satélites radioconcêntricos de certos teóricos atuais do urbanismo e que, em uma análise profunda, não passam de um engodo, de uma medida perigosa.

A conclusão se evidencia: ao longo de sua estrada mais autêntica, estende-se o centro industrial linear, cortado ou não por burgos intermediários. Ele vai dar nos pontos de cruzamento dos caminhos, na cidade radioconcêntrica.

Estudemos agora a regra dos cruzamentos das estradas: a figura resultante é um triângulo. Este triângulo é o continente da vida campesina.

A ocupação harmoniosa do solo é realizada no respeito recíproco entre o campesinato e a indústria. No entanto, uma grande decisão deverá ser tomada, cheia de conseqüências para a vitalidade da região, reagindo à qualidade de sua composição social: qual a amplitude do sistema aqui proposto — este triângulo que contém a vida campesina? Os lados do triângulo terão 15, 30 ou 100 quilômetros de comprimento? A questão aqui proposta resume-se no seguinte: ao lado de uma sociedade industrial aperfeiçoada, harmoniosa, feliz, devemos manter uma importante reserva de terreno?

A ilustração da página 108 mostrara que o campesinato pode ser extraído da solidão de suas fazendas ou da mediocridade de seus vilarejos e que um espírito de qualidade nasceria das novas disposições — espírito do mesmo valor, da mesma voltagem (embora diferenciando-se fundamentalmente) que o proveniente da organização das indústrias de transformação organizadas em centros lineares. As reservas de terra poderão ser grandes, isto é, o triângulo continente muito extenso. O fôlego vivo e intenso da vida nele se introduzirá e se manterá.

Temos, aí, uma primeira exploração urbanística que nos conduzirá à descoberta das regras válidas de ocupação do solo — regras capazes de orientar os espíritos e de fornecer a direção justa para as inúmeras decisões, pequenas e grandes, que cabem e caberão tomar a cada dia até aquele que, finalmente, realidades técnicas inscritas nos planos, tiver feito realidades vivas.

116

VIII   OCUPAÇÃO DO SOLO

Parece chegada a hora da mutação, pela qual uma sociedade da "máquina" vai equipar-se com elementos necessários a seu equilíbrio.

O formigueiro humano, após uma série de transtornos sucessivos e que se engendram um ao outro, agita-se num território doravante mal ocupado. Não só os locais são colocados em exame, como também a ordem dos agrupamentos e as suas grandezas relativas. A desordem é bastante grande, a confusão bastante evidente, o mal-estar e a ameaça assaz indiscutíveis para que possa

117

intervir hoje um espírito de síntese, que proceda a uma leitura de situação, que empunhe os fatores presentes e modele, para nossa edificação e conduta de nossos próximos atos, seres construídos, biologias cimentadas, teóricas talvez, mas tão fortemente cheias das virtualidades atuais, que constituem os próprios objetivos para os quais irá dirigir-se a nossa sociedade, no tempo e no espaço — levando o tempo que for preciso, atingindo a pureza ideal, mais ou menos, segundo sejam os ventos contrários ou favoráveis.

Partindo das necessidades e das maneiras de agir de uma sociedade mecanizada, reconsideraremos a ocupação do solo. Diante das tarefas modernas (os meios e os deveres), apresentar-se-ão três realidades de agrupamento humano, conforme a natureza dos trabalhos quotidianos e dos empreendimentos, conforme as regras de vida útil, consoante as regras do espírito humano e a harmonia natural, e, conforme o equilíbrio a atingir entre o esforço e a recompensa, coisas todas que nada mais são que o suceder das horas, os dias e os anos de uma vida inteligentemente adaptada às condições que nos envolvem e nos geram realmente.

Esses três agrupamentos dependem dos trabalhos dos homens.

1. O da terra ditará a *unidade de exploração agrícola.*

2. O que transforma as matérias-primas fixará os centros industriais — *os centros lineares.*

3. O da distribuição do comércio e da troca, o da administração, o do pensamento e o do governo, reclassificando, sob formas diversificadas ou conjugadas, as cidades *radioconcêntricas.*

Três unidades fundamentais, distribuídas no solo, de acordo com regras oriundas da própria natureza e que podem ser discernidas com clareza. Assim fazendo, serão reencontradas verdades tradicionais hoje perdidas; os erros, as deformações, os vícios de forma sob o peso dos quais sufocamos ou sucumbimos serão lançados às urtigas, enfim será dado um passo adiante recolocando o homem em consonância com a própria marcha de seu espírito, situando-o, daqui por diante, à vontade e em concordância, no interior desta grande e magistral ar-

118

quitetura das leis da natureza, *condições de natureza,* cuja presença não mais será o esmagador entorpecimento arqueológico das abóbadas desmoronadas, mas o invólucro acolhedor, a casca grande, sonora e harmônica de uma nave completa, bem construída, de fatos contemporâneos. Natureza, cosmo e homem postos em concordância — gestos e pensamentos, atos e comportamento naturais. Harmonia que será atingida por esta civilização da máquina atualmente esmagada, triturada e dilacerada no estupor e na estupidez.

Essas três unidades de agrupamento — a unidade de exploração agrícola, o centro linear, a cidade radioconcêntrica — constituem o estatuto da sociedade atual.

a) A região se apresenta cheia de pontos de cruzamento de estradas e de caminhos nascidos da geografia e da história. Lugares fatídicos de que os homens se apossaram naturalmente, para neles fixar seus destinos, construindo suas cidades. Mas veio a desproporção. Estes cruzamentos com quatro, seis ramos etc., distribuem a substância humana (homens e pensamentos) sobre o território, realizando assim, de modo mais econômico e eficiente, a *distribuição,* a *troca.* Que podemos distribuir, trocar? A autoridade, irradiação e concentração; *cidade de governo* (administração pública, escritórios). O pensamento, fruto da meditação solitária, da confrontação e do debate; *cidade de pensamento, cidade-luz.* A mercadoria e o dinheiro; *cidades de comércio.*

b) A transformação das matérias-primas onde há força disponível (os braços, o vento, a corrente de água) e onde passam ou se concentram as matérias-primas.

Um regime constante condicionou os atos dos milênios passados, das inúmeras gerações, impondo ao universo uma cadência impassível: a velocidade do passo do homem, do cavalo ou do boi: quatro quilômetros por hora.

A passagem das mercadorias efetuava-se:

ao longo da estrada de terra,
ao longo de um caminho fluvial interior, re-

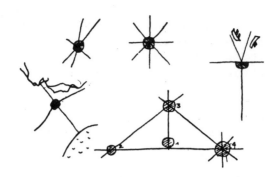

La cité-linéaire industrielle

La ville concentrée
communication
publique déprivée
- bureaux
- arts
- pensée
- artisanal
de ville.

les unités
d'exploitation agricole
avec "industrie de
complément".

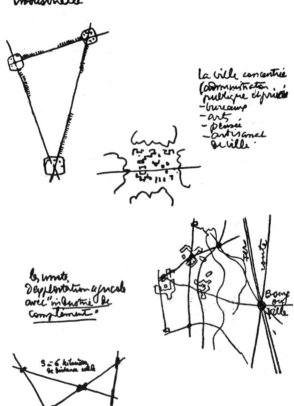

lativamente precário (o rio e, depois, o canal).

ao largo dos mares, a navegação à vela.

Desse modo, a matéria-prima dificilmente se concentrava, distribuía-se mal, ou, então, muito parcamente, por depender de velocidades lentas em oposição à extensão dos mares e das terras. Poucas matérias-primas em movimento e, conseqüentemente, poucas mercadorias em circulação. O centro industrial não existia de fato, mas somente as oficinas, as manufaturas, instaladas onde havia mão-de-obra e abastecimento e uma parte dos consumidores — nas cidades concêntricas.

O vapor, depois a eletricidade, instalam definitivamente a indústria no século XIX, criam as velocidades vinte vezes superiores no transporte dos produtos (estradas de ferro, navegação a vapor, tração mecânica em estrada de base plana e, depois, a aviação (século XX). A eletricidade traz as velocidades sem limites de informação, de comando e de controle — telégrafo, telefone, rádio. A matéria-prima, a mercadoria e o comando aumentam, prodigiosamente, dramaticamente, seu volume, na anarquia, no *laisser-aller,* no descuido, na falta de direção. Sem motivo, a terra é tomada de produtos, de ofertas ou de encomendas. Na desordem, a cupidez desenvolve-se facilmente, o explorador e o explorado se opõem em classes inimigas e a desgraça se instala, profundamente: concentração perigosa e caótica nas cidades, abandono dos campos.

Por motivos negativos e nefastos, já explicados anteriormente, e por razões positivas, suficientes, a esta altura do exame, para fixar um ponto de vista, os centros industriais, lugares de transformação das matérias-primas, serão, pois, construídos na passagem das mercadorias, ao longo das vias de comunicação. Serão as únicas cidades-satélite toleráveis, satélites resultantes do fenômeno concêntrico, submetidas, ao contrário, à linha contínua e permitindo, assim, o estabelecimento de contatos fecundos entre os lugares de concentração e de distribuição e das parcelas incontavelmente dispersas no território que são os locais naturais de expansão da vida rural. Fenômeno linear, que é confirmado por uma tentativa de geografia humana.

c) A vida rural até o século XX escapou das conseqüências das velocidades vinte vezes superiores. Uma parte, no entanto, sofreu a conseqüência da estrada de ferro. Mas a estrada plana, o motor a explosão e o automóvel (jornais, revistas, rádio e cinema, discos e *dancings*) é que irrigaram as terras, semeando um fermento imprevisto: a atração das cidades.

Esse mesmo fenômeno das velocidades antagônicas — quatro quilômetros por hora e 100 quilômetros por hora — será o único capaz de dar uma solução à crise de hegemonia aberta entre o campo e a cidade.

Neste ponto, contentar-nos-emos em estudar de perto o fenômeno das velocidades, causa mesma da desordem, e elemento mesmo de reerguimento.

A comuna é o agrupamento humano natural e conformado a uma administração nacional. No caso, a comuna rural. Enquanto reinou a velocidade de quatro quilômetros por hora nos caminhos ásperos (tração do cavalo ou do boi) e de acordo com a natureza do solo (topografia ou clima), a irradiação da comuna e, conseqüentemente, sua capacidade eram nitidamente condicionadas pelas limitadas possibilidades de transporte dentro do dia solar de vinte e quatro horas. Surgem a estrada plana e o motor, isto é, as velocidades de 50 a 100 quilômetros por hora; o raio de ação da comuna poderá aumentar muito e, conseqüentemente, sua capacidade. Isso pode implicar na fusão de várias comunas, fusão essa que se opera em torno de um núcleo novo, regenerador da vida agrária: o centro rural. As culturas, encontrando a estrada plana e o motor, adotarão métodos inteiramente novos, harmonizando-se, aliás, ao ritmo e ao espírito universal. No entanto, se a nova velocidade de 50 a 100 quilômetros por hora se jacta de uma harmonia nova de distribuição do trabalho e de acúmulo dos produtos, a velocidade milenar de quatro quilômetros por hora continuará a reinar numa dada parte da unidade agrária: o rebanho e o pastor. De modo que o reagrupamento da terra comportará, de um lado, as pastagens com seu rebanho, seus pastores e seus estábulos e, de outro lado, o centro rural com o silo dos produtos, a usina de leite, a oficina e o depósito de ferramentas, a cooperativa de abastecimento, a habitação das famílias camponesas, o clube e suas instituições intelectuais e esportivas.

Decisão que esclarece singularmente o problema camponês, sacudindo a estrada dos parasitas semeados e alimentados pela massa das pessoas introduzidas clandestinamente neste conjunto tão complexo e tão particular — defensores de interesses particulares e, também, escritores em férias, afiando suas penas no musgo dos telhados, no carcomido das colunas e inconsoláveis com o desaparecimento das casas de sapé dos pastores.

IX
NÃO SE TRATA DE IDÉIAS JÁ FIXADAS

Não se tratou uma única vez, neste estudo, de idéias já fixadas, de coisas das quais se diz: é assim, porque o hábito o determina —, noção acadêmica de valores, que nos vale, a todos os momentos, esta tremenda desordem resultante da improvisação (ou da recusa de ver). Nada pode ser rejeitado em nome de usos; é preciso deixar nascerem e se desenvolverem novos organismos que respondam à nova exigência das funções (que podem perfeitamente ser de natureza permanente). O que estamos no direito de solicitar é a saúde — as soluções sadias. Infelizmente, as paixões (para colocar aqui rótulo nobre) — na realidade, a seni-

125

lidade e a esterilidade — não hesitam em urdir crimes contra a sociedade (crimes contra o pensamento, contra a técnica, contra o sonho e a poesia). As vítimas não são os satisfeitos, os atingidos que o avanço dos tempos modernos desperta no meio de seus hábitos. As vítimas são os humildes. Egoísmos abomináveis, interesses vorazes levantam rumores, instigam ambientes, alimentam uma literatura especial, redigida por "trovadores" humildemente ligados ao seu trabalho quotidiano no jornal, gentes da pena que não conhecem o assunto sobre o qual escrevem, de forma alguma desejosos de pesquisa ou de informação real, decididos a nada modificar de um ponto de vista que constitui a própria base de seu ganha-pão.

Estes problemas são muito sérios e não será qualquer pessoa que poderá julgá-los. Mas Senhor! Como fala bem esse Seu Fulano que se esparrama nos jornais do país! Para se sustentar, recorre a Montesquieu, La Palisse, Ronsard e Watteau e ao Senhor Francês (médio ou outro). Frases do tempo de Luís XIV, períodos e cadências: regras do conforto, lei das proporções, mistério do "número" de modulações infinitas.

"Quaisquer que sejam as modificações, a morada do homem guarda algo do templo e de seu caráter sagrado. Nela sempre se veneram os ancestrais, perseguem-se os sonhos, cada um procura obscuramente seus deuses. As sociedades antigas e a Idade Média haviam compreendido isso muito bem. Viam na arquitetura uma linguagem que exprimia correspondências entre o equilíbrio das pedras e o da alma. Por isso exigiam que a grande arte fosse mais que um saber (*savoir*), uma sabedoria (*sagesse*)" (M. Raymond Christoflour).

Escorados na sua coluna de jornais, chegam assim a semear o pânico, a dúvida, e a criar esta mentalidade negativa que tão bem colocou o homem do campo abaixo de seu nível e fora de sua tradição.

Ao contrário, alguns mais impacientes de verem nascer realizações, pensam poder acelerar a marcha do acontecimento por meio de pesquisas ou de referendos. "A França fará sua revolução arquitetônica?" O problema é formulado indistintamente, mas submetido também à perspicácia de algumas altas personalidades que são procuradas em suas próprias casas. Experiência decepcionante na pintura moderna, ou na poesia ou na música modernas. O tema que nos ocupa — o domínio construído — é técnico, mas o sabemos simultaneamente ligado ao mais íntimo da consciência. As respostas expressam, então, uma reação sentimental, completada por uma informação técnica insuficiente, falha ou mesmo nitidamente errada. A coisa se explica porque a questão é proposta em relação a objetos projetados com vistas ao futuro, cujas únicas provas existentes se apresentam sob a forma desses trabalhos de laboratório já evocados, feitos das mil tentativas fragmentadas, isoladas, dispersas, destes cem últimos anos. As pessoas inquiridas não os conhecem ou os conhecem mal; seu discurso está cheio de erros e, também, suas conclusões. O referendo também é muito perigoso, pois os objetos que o compõem são os dois termos de uma comparação dos quais um *é conhecido* (o objeto em uso) e o outro *desconhecido* (o objeto proposto). O resultado pode ser torcido tanto num sentido quanto no outro, se jactando de um espírito conservador ou, ao contrário, de um espírito inovador. Uma prova típica foi dada pela resposta de Auguste Lumière, resposta comovedora pelo cuidado com que foi redigida, generosa da parte de um sábio octogenário que achou ser seu dever oferecer aos jovens, *L'Ècho des Étudiants,* a contribuição de sua experiência. Resposta inteiramente nefasta, porque se baseia na mais errada informação, e tanto mais decepcionante quanto é assinada pelo autor de *Fossoyeurs du Progrès.* Em substância, Auguste Lumière rejeita as construções em altura destinadas à habitação, devido à experiência de Nova Iorque. No entanto, a pesquisa era precisa, referindo-se à adoção de edifícios de 50 metros de altura total, a fim de substituir os edifícios de 30 a 35 metros (no topo), atualmente em uso. Auguste Lumière opôs-se a isso, tomando como testemunha o arranha-céu americano que tem 300 metros de altura, nunca abrigou habitações, mas apenas escritórios, e foi projetado no limite de antigas ruas

127

ou avenidas cuja circulação ele engarrafou perfeitamente. Convencido da catástrofe urbanística nova-iorquina, Auguste Lumière recomenda à França a adoção da casa térrea, dispersa na natureza, acarretando o jogo das necessárias comunicações. A tal ponto que o sábio propõe reinstaurar, precisamente, a experiência desta última metade do século que levou as cidades a uma situação sem solução, e as sociedades que as habitam à mais perigosa desordem.

Tal *falta* de informação, atinge as personalidades que pareceriam indicadas para ditar as decisões nesta matéria: ministros, altos funcionários, diretores de grandes institutos nacionais etc.

O problema ultrapassa as discussões de salão. A ASCORAL esboça aqui um quadro do conjunto dos temas em questão. Os cem primeiros anos da era da máquina determinaram o surgimento do engenheiro, conferindo-lhe um poder cada vez maior. Enquanto se desenvolvia magnificamente essa ordem particular de uma disciplina do espírito, a classe dos arquitetos sofria uma crise de enfraquecimento: a vida se retraía, a vida a rejeitava. No entanto, logo soará a hora da construção geral: o arquiteto, que antigamente era o chefe, deve, em seus novos deveres, introduzidos pela civilização da máquina, admitir à sua direita e à sua esquerda a presença de duas fontes de conhecimento: o urbanista e o engenheiro. Arquiteto, urbanista, engenheiro, trilogia que pede um estatuto unitário. Segue-se, datada de fevereiro de 1941, uma introdução a esse Estatuto:

Introdução a um estatuto dos construtores

OS TÉCNICOS DO PLANO

Administradores — Arquitetos — Urbanistas Engenheiros.

1. Todo objeto construído apela, em relações infinitamente variáveis, à ciência do homem e à ciência dos materiais — ao arquiteto e ao engenheiro.

a) Toda obra construída é um reflexo da consciência humana.

b) É uma expressão das leis da gravidade e da resistência dos materiais.

2. As duas ações conjugadas operam num conjunto de objetos que interessa grande parte da atividade humana: abrigos dos pensamentos, das instituições, dos homens e das coisas. E, ainda, aquilo que as liga umas às outras: a circulação.

Os abrigos do pensamento são:
....
....
....

Os abrigos das instituições são:
....
....
....

Os abrigos do homem são:
....
....
....

Os abrigos das coisas são:
....
....
....

As circulações são as estradas de terra.
água.
ferro.
ar.

3. Este imenso programa requer especializações imperiosas e sempre mais exatas. Não pode mais ser pensado e executado por um único cérebro.

Em cada um destes numerosos setores que o compõem, a técnica e a arte estão indissoluvelmente ligadas na unidade, mas em quantidades diferentes, respondendo ao chamado quase total da arte e da imaginação, como ao apelo quase total do cálculo.

4. A configuração das inteligências e das sensibilidades é diversificada ao infinito: lá, apreciação das mais nobres potências plásticas, e aqui, sutilezas da estrutura interna da matéria.

Alinhemos, então, os cérebros ao lado das tarefas a realizar, segundo as disponibilidades, apelando, com vistas à eficácia, a inteligências e a sensibilidades, sempre harmonizadas com a obra proposta, operando, assim, o recenseamento das competências e sua designação em função das tarefas, e estabelecendo, assim, na continuidade, a série das intervenções criadoras.

A vocação do construtor aparece em toda sua amplitude, em toda sua solidariedade, em toda sua unidade, escalonada entre a atividade do arquiteto e a do engenheiro: entre o arquiteto puro, numa extremidade, e o engenheiro puro, na outra; nas mais altas especulações juntam-se, aliás, esses pontos extremos. *Desse modo, as obras construídas expressam a unidade — uma unidade comparável à que a própria natureza realiza em suas próprias construções.*

Na antiguidade e até em épocas mais recentes, antes da violenta intrusão do cálculo aplicado e de suas conseqüências na máquina e nos produtos, o construtor poderia ser *um só;* era-lhe possível dominar uma situação que não o esmagava com sua multiplicidade. O geômetra (Antiguidade), o mestre de obras (Idade Média), o arquiteto (Tempos Modernos) geravam técnicas simples, resolviam problemas simples. Assim, alguns grandes espíritos puderam levar tão alto a "qualidade" aliada à imaginação. Podiam tomar sobre si a responsabilidade total. Foi o que a civilização da máquina mudou.

Diante dessa situação nova na história da construção, a vocação do arquiteto e a do engenheiro devem ser definidas a fim de que, por uma judiciosa distribuição das tarefas, a responsabilidade possa reencontrar sua virtude aviltada: sua potência indispensável e ser, em cada setor, dada a quem de direito.

Um homem só pode ser responsabilizado pelo que conhece.

A preparação desses *RESPONSÁVEIS* coloca, inteiramente, o problema da formação dos construtores.

Definição do ensino:

. . . .

. . . .

. . . .

Menos do que nunca, não se trata de idéias feitas — academismo ou cogitações futuristas. Trata-se da diferença "entre idéias feitas" e as sadias invenções possíveis hoje, aplicáveis, por exemplo, em Rouen, no Havre, em Lorient, em Dunquerque, em Tours, em Brest, que são cidades destruídas por fatos de guerra; aplicável em Paris, cidade que se tornou monstruosa, em Marselha, na desordem, em Argel, em perigosa crise de crescimento.

Tecnicidade, objetividade, grandeza e esplendor podem ser os termos de uma só e única equação. Toda a técnica e todo o espírito mobilizados.

Para afrouxar o aperto das cidades e trazer a alegria de viver, fala-se em construir, dentro de certas condições, edifícios de habitação, de cincoenta metros de altura.

"Nunca! a experiência americana o desaconselha..."

Infelizmente, não se informaram nem sobre a América, nem sobre o problema colocado aqui.

Aliás, teria a França a fobia da altura?

Notre-Dame dominava a Ile-de-France por cima dos telhados pontiagudos das casas góticas. Luís XIV erigia a massa do Val-de-Grâce a pique, sobre a nudez do planalto de Saint-Jacques.

Outra coisa, a guerra arrasou o centro de cidades: Orléans, Tours, Beauvais, Rouen etc. Somente as igrejas, as catedrais ficaram de pé. O esquema pode ser simbolizado assim:

131

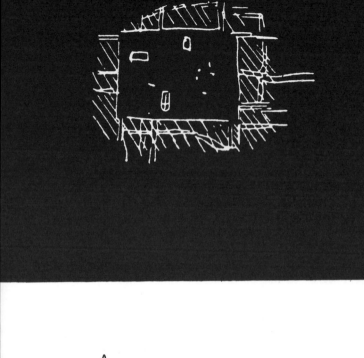

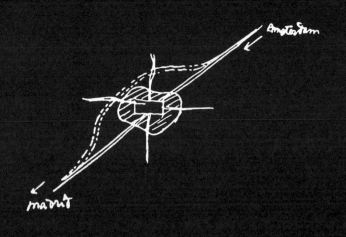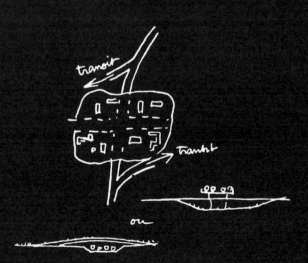

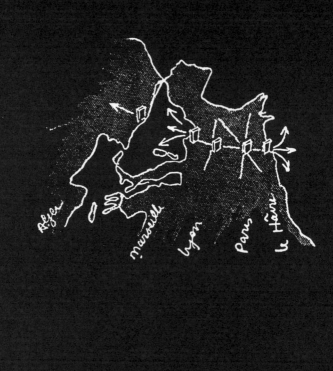

De que se trata então? Através de medidas apropriadas, colocar estas cidades dentro das condições de vida atuais, isto é:

Elas são lugar de passagem, de grande trânsito, mas também lugar de finalização (trânsito de um lado, concentração e difusão nos outros).

Dar, então, um destino ao centro da cidade, a este centro arrasado, portanto vazio, portanto *livre*.

Construir nesse centro e organizando, utilmente, os vastos espaços no solo, necessários à circulação, os poucos edifícios essenciais à acentuada densidade, indispensáveis à vitalidade da cidade: o centro de negócios, a casa das profissões, rodeados pela praça pública... Fazer desse centro uma reserva, posta a serviço dos futuros órgãos urbanos essenciais.

Tirar proveito do espaço livre no solo: *conservar* o espaço livre; *engrandecer* as coisas pela sensação de espaço.

Levantar no céu, no meio do espaço (azul celeste e vegetação), alguns edifícios que qualificaremos *a priori* de belos e dignos, prova de otimismo, de capacidade técnica e sensível: em Rouen, esse vazio colocará em situação de esplendor que é preciso saber descobrir e reconhecer a insigne beleza da catedral.

Os verdes ocuparão os vazios das demolições; as residências (e as mercadorias seguem as residências e não a igreja!) ficarão do outro lado da água.

Em Orléans, uma composição arquitetônica de plástica eminente mostrará a dignidade reconquistada, o espírito de grandeza, a seiva correndo, de novo, nas veias da região. Isso para nosso maravilhamento e o do estrangeiro. A tradição estará retomada.

Na realidade, em lugares predestinados pode ser o caso de inscrever alguns fatos arquitetônicos importantes, na idade do aço, do vidro, do concreto armado. Estes fatos arquitetônicos exprimem a vida dos centros e a do país, como o fizeram as "grandes-praças" de antigamente, com suas casas de ofícios e suas prefeituras. Sobre uma linha significativa, sobre um meridiano estimulante, o Havre, Paris, Lyon, Marseille têm necessidade de centros de negócios, de centros de administração destinados a garantir melhor exercício de uma função indiscutível — as trocas. Nessas quatro cidades,

135

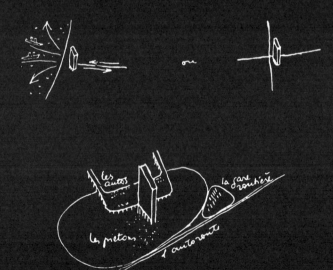

quatro marcos magníficos não vão enfear a região! Não! Não se trata de idéias feitas sobre a fealdade ou a beleza.

Não, não se trata aqui de idéias feitas...

Impõe-se reconhecer que uma certeza, uma aquisição do pensamento, um uso novo, uma atitude nova adotada em conseqüência da exploração de descobertas não são o único fruto de uma invenção. A discussão desempenha, aí, um papel importante. E tal discussão pode ser tanto amigável, quanto perversa ou desleal. Que importa! É assim que se instala na vida uma idéia, como se instalarão numa paisagem uma planta ou uma árvore cuja germinação e crescimento dependem da virtude ou qualidade de um grão e, de outro lado, da virtude ou qualidade do terreno.

Alturas arquitetônicas em terras de França, quatro marcos de magnitude francesa, assinalando o destino de centros forjado já pela história e fixado pela geografia. E que, desta vez, expressarão a história e a geografia... que *chegam*.

A oeste, Nantes...

Se a França pode sentir-se no dever de propor, aqui, sua idéia, sua conclusão, não é que ela estime demasiado seus inventores. Não, não são nem mais nem menos do que os dos outros países. A França, porém, constitui, por si própria, uma terra muito particular, extraordinariamente nutrida, cheia das ressonâncias humanas. É semelhantemente esta terra que dá seus vinhos e que, transposto para o plano espiritual, dará seu pensamento. É ela que humaniza tudo.

E que esta verificação não venha lisonjear e confortar os faladores, os preguiçosos, os satisfeitos. No concerto mundial, se a França tem aparência livre e leviana, sua obra, como a obra de seus grandes homens, é terrivelmente nítida, firme e concisa, com arestas e contornos precisos. Não há, aqui, descaso ou leviandade; mas exatidão e uma vontade categórica. Fatos depurados.

Espírito cartesiano, natureza e homem na unidade e no entendimento e não *artifício* de uma sociedade, fora do natural.

137

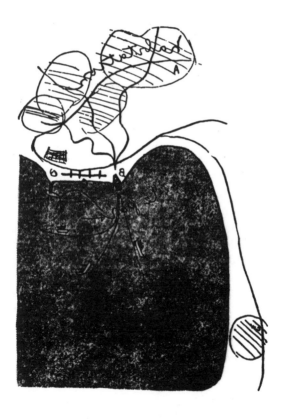

O *croquis* de Argel exprimindo o urbanismo de uma cidade onde se conjugam, no limiar de uma África nova, a história de duas civilizações, uma topografia difícil oferecendo as mais belas paisagens, uma geografia estendida a dois continentes, um futuro prodigioso, revela a firmeza devida aos princípios claros, a diversidade e a maleabilidade, produtos de uma feliz união entre homens e natureza, entre realidade quotidiana e intenção elevada. Administrador, arquiteto-urbanista, engenheiro, têm entre suas mãos o destino de uma cidade, chamada a comandar o destino de um país.

X   APLICAÇÕES E PLANOS

Princípios gerais

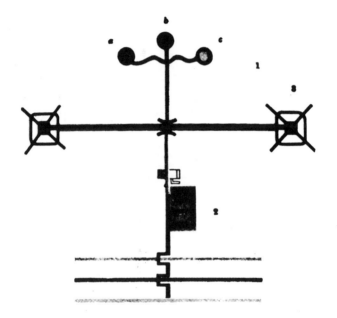

Uma unidade "de tamanho ideal."

1 Habitar
2 Trabalhar
3 Cultivar-se

a Cidade-jardim horizontal
b Cidade-jardim vertical
c Os prolongamentos da morada

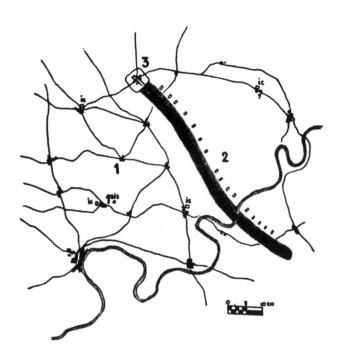

As condições naturais
1 A grande reserva da terra
2 O centro linear industrial
3 O centro radioconcêntrico de trocas.

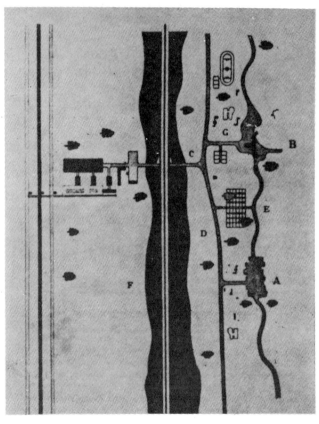

| As vias de passagem das mercadorias | Os estabelecimentos industriais | Auto-estrada (velocidades mecânicas) | O alojamento e seus prolongamentos (marcha a pé) |

O centro linear industrial

Legenda da Figura à esquerda

A A morada familiar, sob a forma de casinhas dispersas em cidade-jardim horizontal.
B A morada familiar, sob a forma de casinhas reunidas e superpostas em uma unidade construída de um bloco, espécie de cidade-jardim vertical.
C A estrada transversal de acesso à fábrica.
D A estrada de distribuição entre a morada e seus serviços comuns (acessível aos veículos).
E A zona de passeio e de ligação (proibida para veículos).
F A zona verde de proteção, separando a habitação e a fábrica (e contendo a auto-estrada longitudinal do centro linear).
G O setor dos serviços comuns exteriores à morada: escola maternal, escolas primárias, cinemas, bibliotecas, todos os equipamentos esportivos de uso quotidiano (futebol, tênis, competição, marcha, natação etc.), jogos infantis, clubes de adolescentes etc., jardinzinhos particulares (à vontade dos arrendatários), jardins de flores, pomares, hortas.

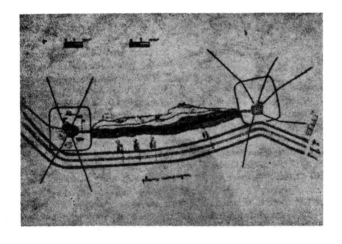

O centro linear industrial.
Para permitir a síntese do desenho, desenhou-se, aqui, em três escalas diferentes, a cidade industrial, a cidade dioconcêntrica, o dispositivo das três estradas.

Urbanização de Argel

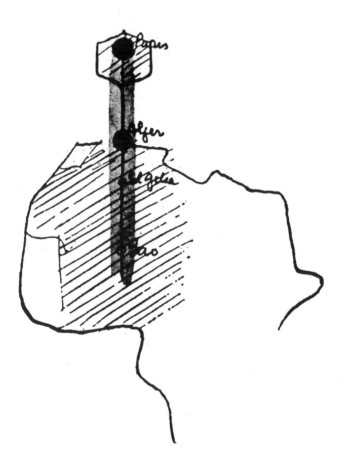

Argel: papel da cidade, designação das tarefas que cabem à população, limitação sábia que estrangula a invasão das atividades parasitárias.

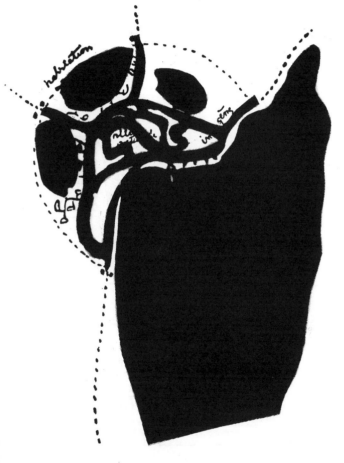

Limitação da cidade: grandes vias de auto-estradas principais (de espigão ou radiais); distribuição das circulações no centro de negócios; irrigação do futuro centro cívico; passagem racional através do setor da marinha.

Reconhecimento dos elementos constitutivos do quadro natural.

Medidas precisas de proteção e de reconstituição. O urbanismo árabe é excelente.

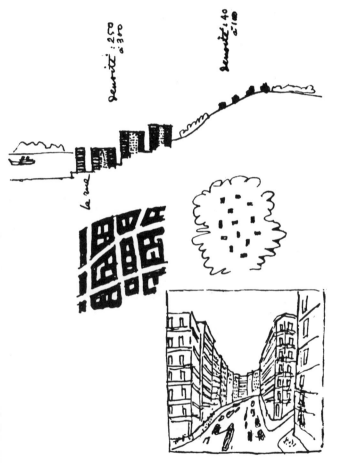

Medidas de proibição abrangendo dois usos nefastos:
a) quarteirão construído sobre as ruas e sobre o curso;
b) o loteamento.
O urbanismo europeu é nefasto.

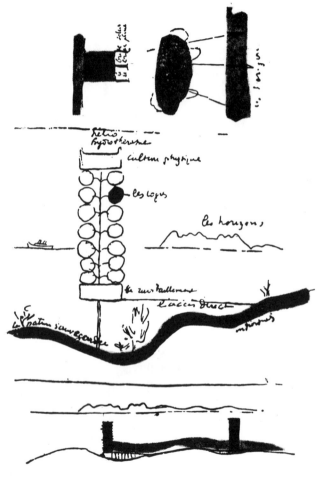

Determinação dos "prolongamentos da morada", procedendo da unidade de habitação (designação dos órgãos reconhecidamente necessários): creches, escolas maternais, escolas primárias, casas para a juventude, esportes para crianças, adolescentes, adultos, hortas individuais.

Determinação das "novas condições de habitação":
a) densidade obrigatória por hectare;
b) relações entre a área construída e as áreas livres;
c) novas formas do "volume construído".

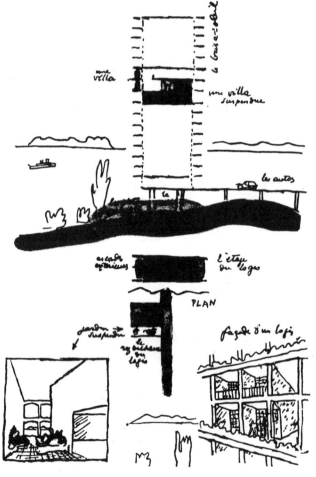

Determinação da "unidade de habitação nova" com seus equipamentos diretos.

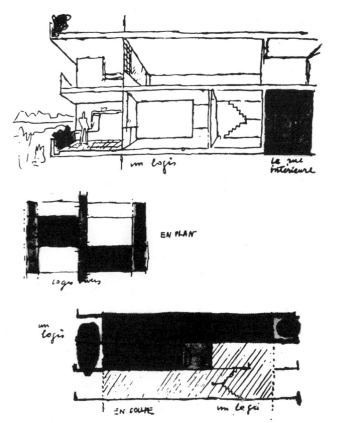

Criação de uma nova regulamentação edílica, concernente à habitação, operando o acordo com as soluções norte-africanas (altura da morada: 4,50 subdivisível, parcialmente, em duas vezes 2,20 m. etc.).

Estatuto do terreno:
zona de habitação, zona de negócios, centro cívico futuro, salvamento da Casbah, criação do Centro cultural muçulmano.

Urbanização de Paris (Plano Voisin, 1925).

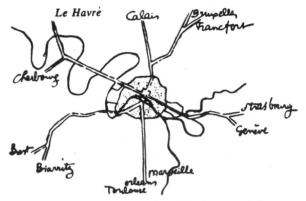

Paris: torna-se urgente uma operação de envergadura.

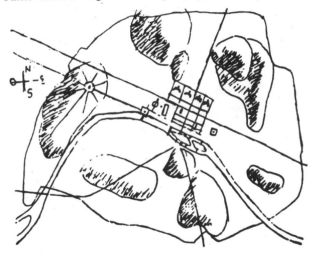

O automóvel, *fenômeno completamente novo na história das cidades e total perturbador*, exige disposições adequadas
 a) um rasgo este-oeste;
 b) um rasgo em direção do norte.

155

Paris transformou-se sobre si mesma, sobre seu próprio solo, sem evasão. Através dos séculos, cada corrente de idéias inscreveu-se em suas pedras. Desse modo, constituiu-se o aspecto vivo de Paris. Continuar Paris.

Vista de conjunto do "Plano Voisin".

Uma cidade contemporânea: O "Centro", visto da auto-estrada de grande trajeto. À esquerda e à direita, as praças dos serviços públicos. Mais ao fundo, os museus e universidades. Vê-se o conjunto dos arranha-céus, banhado de luz e de ar.

Nesta planície, marcada por construções sem significado, que se estende em direção a Saint-Denis, longe das testemunhas reunidas às margens do rio, quatro grandes acontecimentos arquitetônicos ocuparão um grande espaço, para a glória de uma civilização que, longe de abdicar, tornou a escolher uma linha de conduta.

Apêndice I

Intervenção de Ascoral

A ASCORAL é uma associação de construtores com vistas a uma renovação arquitetônica. Seus objetivos são:

— proceder ao exame da ocupação do solo, especialmente a realizada pelo domínio construído e seus prolongamentos: circulações e espaços livres;

— estabelecer uma doutrina coerente do domínio construído e de seus prolongamentos, cujos benefícios possam estender-se a toda uma região — cidades e campos — e que responda às quatro funções: habitar, trabalhar, cultivar o corpo e o espírito, circular;

— difundir esta doutrina entre o público;

— forçar sua adoção pelas autoridades;

— fiscalizar sua aplicação no país.

Este agrupamento não reúne profissionais de uma única disciplina (arquitetos), mas está aberto a todas as atividades, próximas ou longínquas do domínio construído: sociólogos, arquitetos, engenheiros, pensadores, pedagogos, cientistas, camponeses, operários, dirigentes, economistas, juristas.

Agrupamento sem limites preconcebidos, crescendo, naturalmente, por cooptação. Estabelecendo, pela conjugação do esforço de seus membros, uma doutrina ARQUITETURA e URBANISMO. Em pleno caos, na desordem de uma partida não preparada, decide trazer uma certeza: a visão clara, expressa sem medo da crítica, de um destino oferecido ao país — como, aliás, em todos os lugares — por uma civilização da máquina. Tal destino manifesto aqui pelo *domínio construído* — na verdade, o instrumento de uma sociedade apta, hoje, a favorecer a realização harmoniosa de seus gestos mais lícitos. Esta substância, que deve ser descoberta nos fatores constitutivos de nossa civilização, materiais e espirituais, será posta a nu, analisada, explicitada, esclarecida, tanto pelo texto quanto pelo gráfico, liberta de qualquer obscuridade, ao contrário, posta corajosamente em plena evidência, em plena luz, oferecendo-se ao julgamento do país.

Este é colocado diante de uma tarefa indiscutível: ajustar seu domínio construído às realidades de uma civilização mecanizada: a consciência é empenhada tão claramente quanto os atos da vida material. As reconstruções, devidas à guerra, constituiriam, por si mesmas, um imenso programa; mas não poderiam constituir uma barreira e encobrir a missão global, destinada aos herdeiros imediatos dos transtornos presentes.

A confusão reina nos espíritos divididos; uns inclinam-se a um retorno a épocas, costumes e meio de outrora, agarrando-se à esperança de encontrar segurança e felicidade. Outros medem o artifício de tal contramarcha e esperam poder encontrar diante de si as terras livres, que se prestam ao desenvolvimento natural e harmonioso do acontecimento.

As sociedades anteriores eram pré-maquinistas. A de hoje é mecânica. Transformação radical perturbadora. Por toda a parte, escombros de uma civilização ultrapassada.

Uma prodigiosa realidade: a potência das máquinas trazendo abundância e os próprios meios de sua distribuição.

Retorno ao passado ou aceitação do desenrolar natural dos acontecimentos, impõe-se optar por um ou pelo outro.

No plano mundial, a França, o único país que atravessou, sem eclipse, uma extraordinária seqüência de dois milênios, tem capacidade de descobrir as vias e os meios de assegurar ao espírito, através das contradições e das confusões, sua clareza de leitura, sua liberdade de invenção, sua força de decisão, seus meios de construção. A França tem o dever de trazer ao domínio construído da civilização da máquina a segurança de concepções sadias e harmoniosas.

162

Planos serão feitos para construir edifícios (moradias, fazendas, manufaturas, locais de descanso ou de elevação do espírito), para equipar portos, linhas aéreas, para instalar circulações nas aglomerações e ligá-las umas às outras. O destino do homem do campo e do operário deve ser assegurado no que diz respeito às realidades quotidianas de sua vida, fazendo sua felicidade ou fazendo sua desgraça: o abrigo — o abrigo que molesta seu lar e sua família ou o abrigo portador de verdadeira alegria. Para dotar este abrigo, o encaminhamento não pode ser medíocre, limitado; é a própria ocupação do território que precisamos reconsiderar, a fim de garantir o meio favorável tanto àquele dirigido pelo ritmo solar anual, que é o homem do campo, como àquele simplesmente organizado pelo ritmo solar quotidiano, que é o operário industrial.

O problema a resolver ultrapassa a simples técnica da arte de construir. Trata-se de oferecer, como porta-archote, como precursor, um elemento de decisão: o ponto de vista verdadeiro.

Um *ponto de vista* verdadeiro desencadeia a harmonia dos atos produtivos; a lei estabelecendo seus novos artigos, as cidades, as aldeias, as fazendas e as terras os usarão, as épuras seguirão as direções determinadas por esta nova óptica. E o político levará o plano para a vida.

Tudo está à disposição, todas as potências: as máquinas, os transportes, a organização industrial, a administração, a ciência pura e a ciência aplicada. Tudo é pré-existente. A tarefa é arrancar a sociedade contemporânea da incoerência; conduzi-la à harmonia. O mundo tem necessidade de harmonia e de se fazer guiar por harmonizadores.

O espírito deve discernir e a consciência deve designar os objetivos reais de uma sociedade atualmente soçobrada na confusão e à qual se deve devolver nada mais nada menos que a *alegria de viver*. Postulado subjetivo, o único capaz de iluminar a estrada e fixar o verdadeiro programa. A eficiência terá como medida *o humano*. Então, os planos poderão ser feitos... "As vicissitudes dos povos e os fracassos das concepções humanas, definitivamente, não passam de reações da Natureza para obrigar o espírito humano a respeitar a ordem universal."

Lentamente e, de súbito, violentamente, com a máquina, o homem foi arrancado às condições naturais... Hoje ele o paga, percebendo que se deixou submergir por uma total desorganização. Trata-se de *reinstaurar as condições naturais*, recolocando o homem em seu verdadeiro meio.

"Há uma unidade entre as obras da Natureza e as obras do espírito humano" (Descartes).

"Reconhecendo a soberania da natureza, Descartes pôs fim à da Razão; um termo à primazia do verbo. Não são mais as palavras que contam, mas as realidades."

163

Apêndice II

Adquirida a doutrina, sua utilização

Admitindo-se que uma doutrina *a priori* possa ser criada, qual será sua utilização? Tal doutrina compõe-se de dois objetos. O primeiro gera o espaço e é a materialidade dos programas que, mediante a obra do arquiteto e do urbanista, distribuirá no solo do país equipamentos iminentes; técnica e espiritualidade — estas duas faces da ação humana — terão fornecido a frutificação que constitui a manifestação sadia de uma sociedade que definiu sua própria noção de felicidade e, através dela, traçou os programas de suas produções e de seus empreendimentos.

O segundo objeto gera o tempo e é a ordem das disposições a tomar em tempo útil. A cronologia das operações, o sentido das diretivas dadas pelos planos e que precisam ser levadas a toda a massa, para que a ordem e a eficiência reinem e não a confusão e a paralisia. Competência das autoridades, do governo.

Questão de profissões e questão de opinião, uma ligada à outra. Somente os pioneiros podem, durante um longo período, montar nos laboratórios o programa de uma experiência capital. E cedo ou tarde chega o momento em que o programa deve ser divulgado, os técnicos devem começar os trabalhos e todos responsabilizados, segundo suas forças, de uma parte útil dos trabalhos, os usuários preparados para tomar nas mãos novos instrumentos, os condutores prontos para fiscalizar a realização da experiência na regularidade e com a intensidade suficientes. Arquitetos e engenheiros, usuários, legisladores e administradores da coisa pública, enfim, os dirigentes, eis a quem é destinada a doutrina adquirida.

A doutrina ASCORAL deve, pelo rigor de seus postulados, obter o consentimento dos técnicos, arquitetos e engenheiros que dispõem em seus espíritos dos meios de controle necessário: estado atual das técnicas, utilização dos materiais hoje disponíveis, possibilidades táticas das realizações, no tempo e no espaço, conformidade com as verdadeiras, as justas aspirações da natureza humana em suas necessidades e nos seus deveres individuais e coletivos. Esses técnicos serão trazidos para a doutrina. Por técnicos entendem-se aqui personalidades detentoras de uma ciência bastante e ao abrigo das paixões desencadeadas por motivos de ordem egoísta ou política.

Os técnicos habilitados encontrarão na doutrina da ASCORAL a materialidade mais abundante possível dos elementos do urbanismo moderno.

Enquanto que hoje os serviços nacionais de reconstrução ou de equipamento, os particulares (arquitetos munidos recentemente do título novo de urbanista) são perturbados pela incerteza presente desses graves problemas, a doutrina trará segurança a este tipo de unanimidade que não proíbe qualquer das múltiplas variações que adornam o espírito e tornam a vida atraente e, sempre, renovada. Tal unanimidade, na segurança, constitui a alavanca de esforços sustentados e todos conjugados para a unidade de objetivo, criadora dos grandes movimentos.

Tal doutrina não poderia ser emanação pessoal. O tempo em que tal acontecia está ultrapassado: cento e vinte anos revolucionários ofereceram a oportunidade para o desenvolvimento de hipóteses e de sua verificação. As invenções dos pesquisadores enfrentaram o julgamento local e, de etapa em etapa, o julgamento universal, de tal modo que aquilo que constituía um inquietante propósito tornou-se uso difundido em toda a parte. Na verdade, a doutrina é assim, de uma unanimidade relativa e suficiente, unindo inúmeras pessoas vinculadas a diversas disciplinas, todas interessadas em elementos fragmentários do problema, transformado, um dia, por adição no próprio programa; unanimidade que agrupa

165

uma qualidade precisa de espíritos modestos ou brilhantes, mas livres de conformismo — este fruto do medo ou da cupidez. A doutrina uniu temperamentos situados em todos os escalões sociais, espíritos ocupados em diversos campos de atividade: operários ou chefes de empresas, burgueses ou revolucionários, jovens ou velhos etc., sociólogos, produtores, administradores públicos ou particulares, médicos, arquitetos e engenheiros, cientistas, legisladores etc. Reuniu pessoas até aqui isoladas em sua convicção adquirida no curso de dez, vinte ou trinta anos de trabalho pessoal; liga, ainda, a ação dos mais jovens, cuja fé inextirpável é fruto de uma opção.

O agrupamento em questão, remontando a vinte anos até então dispersos mas hoje conjugados, somente há pouco tempo tornou-se atuante. De conteúdo ilimitado, só faz crescer à medida que se desenvolve ou desperta a pesquisa.

A substância da doutrina tornar-se-á acessível pela publicação de diversos volumes. Tão objetiva quanto possível, geral com certeza, mas feita da soma das menores análises e invenções, ela atingirá o usuário. Este compreenderá quais são os direitos de uma sociedade da máquina, após o primeiro ciclo centenário das tentativas, mas também quais os deveres perante a solidariedade que envolve o conjunto social.

A administração dos negócios públicos, desse modo informada, medirá quais suas obrigações. Os práticos do plano, perante uma opinião tão claramente afirmada dos dirigentes e dos que formam sua própria clientela, deixarão de acantoar-se em suas posições de defesa; ao contrário, trarão a massa de seus talentos a este canteiro novo que os espera e que lhes oferece as mais belas oportunidades de colocar sua arte e sua paixão a serviço do bem geral.

A doutrina da ASCORAL nasceu do trabalho de onze seções ou semi-seções. A intenção que motivou a criação destas seções obedece ao desejo de expor estas questões do modo mais natural e espontâneo possível. Nunca se sonhou, aqui, com uma enciclopédia do domínio construído. O objetivo é dar ao país, em *tempo útil* e sob uma forma imediatamente assimilável, uma ordem de certeza capaz de orientar, sem demora, os planos, os empreendimentos, as leis e lançar os construtores, os legisladores e os dirigentes no caminho da criação. Falhas poderão ser apontadas na doutrina da ASCORAL; a finalidade é abrir portas e janelas a fim de que a substância do país, técnicos, usuários e dirigentes, possam reunir-se em torno de uma intenção sadia, de acordo com uma direção que seja a da marcha do acontecimento moderno, e não ao contrário. Quando todos estiverem aplicados à tarefa, sabe-se, pela experiência moderna da indústria, que progressos instantâneos e cada vez mais miraculosos vão somar-se incessantemente, alcançando, em poucos anos, objetivos que, em séculos, não poderiam ser atingidos.

As seções de estudo foram, pois, instituídas. Tinham a função, cada uma delas, de formular uma proposição prática,

166

pronta a passar para o ativo do domínio construído. A redação que resultasse desses estudos e trabalhos seria publicada em livros que, no seu conjunto, constituiriam a doutrina da ASCORAL.

Fruto de uma prospecção organizada no âmago da sociedade presente, a doutrina já pode relatar suas conclusões. Oito seções puseram-se a trabalhar.

Seção I: Idéias gerais e síntese.

Seção II: Noção: "saber habitar", na escola.

Seção III: Normalização do domínio construído:
      a) Subseção do equipamento doméstico.
      b) Subseção da construção da morada.
      c) Subseção da industrialização da morada.

Seção IV: Saúde.

Seção V: Trabalho:
      a) subseção Agricultura.
      b) subseção Indústria.

Seção VI: Folclore.

Seção VII: Financiamento e legislação.

Seção VIII: Empresa.

O conjunto é orientado em torno da morada considerada como "Centro das preocupações urbanísticas". Muitas questões não são abordadas; pertencem à mesma corrente; chamarão a atenção de muitos espíritos engenhosos que descobrirão espontaneamente, a este respeito, os caminhos que levam ao eixo geral.

Seção I

Idéias gerais e Sínteses permitem discernir os grandes elementos constitutivos do problema, reuni-los de acordo com uma hierarquia, desenhar a ambiência da ação: de um lado, o humano, do outro, a natureza. Feito isso, levar em consideração o país e os demais países, estabelecer os traçados essenciais, enunciar os programas. Enfim, estabelecer unidade no imenso empreendimento representado pelo domínio construído: unidade dos locais, dos tempos e das técnicas.

Seção II

Os resultados obtidos por essa primeira seção abrem, porém, tanto espaço à sua frente que poderia surgir uma certa impaciência. A doutrina exige direções a tomar. E, por conseguinte, até à realização possível, o caminho será longo. É em benefício das novas gerações que a tarefa é realizada e que a primeira etapa será vencida. Vinte anos de prazo não constituem um crédito demasiado longo aberto aos que conceberam o plano. Mas desde este momento, sem demora, a qualidade de usuário da coisa construída deve ser adquirida por aqueles que, dentro de vinte anos, serão adultos. O domínio construído, tal como o concebemos, não se destina a abrigar a velhice daqueles que continuariam a viver de sacrifício estéril e de um trabalho inutilmente duro; trata-se, na verdade,

167

de equipar uma sociedade que necessita de uma renovação e que adquira o gosto pela alegria de viver.

A preparação se inicia na escola primária e continua no ensino secundário. É na escola, na idade de assimilação mais fácil, que os pontos de vista materiais e espirituais do usuário do domínio construído devem ser revelados. E será, ainda, a criança ou o jovem que, na mesa familiar ou nos grupos de adolescentes, levarão o debate para o meio dos adultos; manifestação do espírito de dever da geração ascendente diante das potencialidades do momento.

Seção III

Sem dúvida, admite-se que existe um prazo inevitável antes que comecem a desenvolver-se os empreendimentos. O tema gigantesco da morada dos homens deve ser explorado — a morada e seus prolongamentos.

a) Em primeiro lugar, enunciar o problema: equipamento da morada. Aqui reside o âmago da doutrina com suas repercussões: uma morada será definida, necessária e suficiente, que vai colocar o problema nº 1 das fabricações modernas. O equipamento da morada considerado como o elemento primordial do equipamento do país, conseqüentemente, constituindo a parte maior ou a mais pesada de seus programas de fabricação e apelando obrigatoriamente a seus recursos de produção: sua indústria.

b) A subseção de construção pesquisará dois tipos de elementos, preparando, desse modo, a industrialização: as medidas determinadas pelos gestos do homem e que regularão o pé direito dos cômodos, sua extensão, a proporção dos elementos domésticos, sua situação recíproca, suas contigüidades. Resumindo, a própria biologia da morada. Em segundo lugar, serão examinadas as disposições utilmente reclamadas pela resistência dos materiais, sua utilização industrial, dentro dos princípios da economia, e que aconselharão o espalhamento dos pilares, o comportamento das vigas, dispositivos de insonorização ou de isotermia etc.

c) Somente, então, a industrialização pode ser encarada sob suas duas formas: fabricação de elementos de série padronizados ou fabricação em série de moradas normalizadas.

Seção IV

Controle do médico ou, melhor, previsão do médico sanitarista que deve proceder ao trabalho do médico. O ponto de vista ASCORAL será reafirmado: trazer para esta Sociedade atual a alegria de viver a que ela tem direito. A saúde a tudo se sobrepõe: saúde física e saúde moral têm laços íntimos, a relação estreita de ordem psicofisiológica, das condições de vida e das condições de meio. Regras fundamentais de higiene impostas tanto à morada como à oficina ou ao escritório. Denunciar os agentes hostis ao desenvol-

168

vimento do ser, enunciar uma disciplina corporal, divulgar os conselhos ou as reivindicações do médico, do higienista, do biólogo.

Seção V

O médico terá demonstrado a ameaça que pesa sobre uma sociedade que, aos poucos, se subtraiu às condições naturais. Não é somente a morada que está em causa; o essencial da vida é dedicado ao trabalho. Não só o escritório, a oficina, a fábrica devem, pela sua disposição, satisfazer as reivindicações do médico, mas o próprio comportamento dos homens deve ser reexaminado em suas relações com a máquina.

Tudo precisa ser pesado novamente: a razão de ser das cidades atuais, concentrações frenéticas e misturas perigosas; as causas da deserção dos campos. Os dois grandes impulsores do trabalho, a agricultura e a indústria, nos obrigam a reconsiderar a própria ocupação do solo — o modo como se distribuíram os homens sobre o solo e como dele se apossaram, tendo-o, pouco a pouco, recoberto de cidades, de centros industriais, de aldeias e fazendas. A civilização da máquina, ao equipar-se, foi, antes de mais nada, improvisadora. As coisas deixadas à iniciativa particular nos valeram condições arbitrárias de trabalho, de habitação e transporte, o aviltamento da paisagem e o das almas, completado por um estatuto nefasto ao bem da espécie.

O trabalho, atividade humana natural, tornou-se, em inúmeros casos, sinistro e torturante. Se a alegria de viver constitui o fim das reformas desejadas, o trabalho feliz será o próprio meio para atingi-lo. No momento em que a alegria parece lançada aos antípodas do trabalho, é muito oportuno salientar os dispositivos materiais através dos quais o trabalho será recolocado em sua dignidade: determinação das zonas eficazes de indústria e seu equipamento: formas úteis do trabalho administrativo, dispositivos rurais renovadores da vida agrária.

Seção VI

A retomada do solo do país conduz, naturalmente, à organização do inventário do que nele existe: locais, sítios ou construções dos homens. Poder-se-á estabelecer um balanço, colocando no ativo os tesouros naturais e as obras humanas dignas de nos transmitir sua mensagem e, no passivo, as falsas manobras que sujaram as paisagens e "mataram" as obras construídas. No decorrer de tal inventário, surge um capital do qual talvez fosse útil e possível extrair uma riqueza; é este valor espiritual, difundido em muitos empreendimentos humanos e batizado com o nome de folclore, flor das tradições. O homem, produto do universo, traz em si mesmo as próprias regras do cosmo e, quando age sob inci-

169

dências favoráveis, sabe exprimi-las espontaneamente, criando harmonia. A nosso ver, tal harmonia consiste num acordo com o universo, profunda e íntima satisfação de unidade, fundamento de acontecimentos poéticos bem capazes de nos maravilhar. Por negligência nossa, podem desaparecer a poesia e a tradição inscritas nas obras humanas. Tudo o que for digno de ser conservado, classificado, inventariado e inscrito no instrumental didático de uma sociedade precisa ser registrado. Mais ainda: tais valores poéticos de tradições desaparecidas ou, talvez, ainda vivas nas construções da época poderão servir como verdadeiros modelos: ou não passarão de lição de coisas? Mais ainda: seria direito nosso, nos nossos futuros empreendimentos, procurar e designar os fatores capazes de se tornarem as bases de criações que poderão ser dignificadas com a qualificação de folclóricas?

Resumindo: poderemos descobrir, nas coisas existentes e reconhecidas de ordem folclórica, leis ou mesmo regras aplicáveis, em maior ou menor grau, no curso de nossos próximos empreendimentos no domínio construído?

Seção VII

Um grande programa de equipamento da civilização da máquina está formulado; as gerações ascendentes preparam-se para ele; o domínio construído é normalizado, arrancado à incoerência, e o controle do biólogo, do médico e do higienista regula o andamento em todas as coisas; a agricultura e a indústria recolocam o problema da ocupação do solo do país; faz-se um inventário dos valores folclóricos suscetíveis de serem utilizados; resta procurar as disposições jurídicas e financeiras capazes de satisfazer todas as coisas na vida. Primeiro estabeleceu-se o plano — um plano cuja finalidade é a alegria de viver para uma sociedade irremediavelmente mecanizada. Este plano é um monumento de atividade contemporânea; não é futurista, é presente. Projeta o volume de nossos empreendimentos, estabelece o programa lícito de nossa fabricação; pretende interessar a grande indústria pelo domínio construído do país, dar um objetivo benéfico a essa enorme energia, até aqui maleficamente absorvida na fabricação de canhões. O *plano* colocará a sociedade moderna contra a parede, dando-lhe sua razão de viver e seus objetivos, durante um primeiro ciclo — o ciclo de harmonia da civilização da máquina.

Dever-se-ão, ainda, tomar disposições jurídicas, relativas ao solo e ao dinheiro — na verdade, quebrando uma parte das coerções seculares que não mais podem existir nesta era da máquina.

É aqui que se faz o jogo: inventariam-se os meios, estabelecem-se programas necessários e suficientes para equilibrar uma sociedade projetada na aventura por cem anos de civilização da máquina. Se não agirmos, serão as guerras internas e entre os países. E se resolvermos agir, poderão ser tomadas decisões que implicarão em sérias conseqüências. Tem-se que escolher entre a ação e a inação.

Por conseguinte, falta apenas empreender. A palavra está com a empresa. Inventário de meios, calendário das etapas. É uma batalha a desfechar, mais ainda: uma guerra a ganhar. Impõe-se uma combinação entre a estratégia e a técnica.

Neste país, o inventário oferece uma relação categórica entre empresa artesanal e grande empresa. O plano comporta porém uma divisão característica de trabalhos reservados aos artesãos locais e de imensas obras que somente os grandes grupos de empresas podem abordar.

Uma tal visão de conjunto ainda não foi oferecida ao país pelos seus serviços, especialistas e poetas. As organizações governamentais ou municipais não poderiam tentar esse grande passo.

A ASCORAL, mergulhando suas raízes nas mais diversas disciplinas, tomou a si esta tarefa. Ela ousou encarar o objetivo que constitui uma ética fixadora da direção espiritual do empreendimento. A ASCORAL sabe, por intermédio de seus técnicos, que são acessíveis todas as soluções pensadas, o que lhe confere o direito de exprimir-se e confiança no valor de sua proposição.

Apêndice III

Organizadas onze seções de estudo

Seção 1

Idéias Gerais e Síntese

Um mundo decidido e definitivamente técnico abre ao espírito espaços inesperados, desconhecidos e ilimitados. O sonho abre suas portas de par em par. Técnica e espiritualidade são intimamente solidárias. Um modo de pensar conforme às aptidões desta época fomenta um novo estado de consciência: esta consciência, alimentada pelas seivas de hoje, edificará naturalmente seu domínio construído, receptáculo e abrigo dos homens, das coisas e dos pensamentos. Abriu-se, desse modo, a era da renovação.

Ora, há cem anos deu-se a revolução arquitetural.

É inútil reconhecer e buscar a regra que será o instrumento de medida pelo qual todos os problemas poderão ser definitivamente julgados e respondidos. Tal padrão de medida não é o dinheiro, que chafurdou neste século de grandes trabalhos, sujando tudo. Tampouco será a eficiência mecânica. De uma natureza toda subjetiva, a ASCORAL escolheu-a para poder esclarecer com uma realidade todas as proposições: a alegria de viver.

A ASCORAL não tem a intenção de partejar uma enciclopédia moderna do domínio construído. Seria uma utopia; a tarefa seria infinda e o produto ilusório, porque o domínio construído da civilização da máquina pertence ao futuro e representará exatamente o esforço primordial da sociedade moderna, dominando suas máquinas e dispondo de uma energia inaudita para equipar-se do instrumental simples, natural e talvez magnífico que tornará seus empreendimentos fecundos e benéficos: os abrigos ideais.

As idéias gerais da ASCORAL, expressas aqui, serão antes os esteios de um modo de raciocinar — manifestação leal e sem cálculos de um ponto de vista: vida, meio, técnica... Uma demonstração, com fatos, da lei da harmonia, à qual poderemos nos sentir no direito de prender esta coisa sutil e imaterial, de ordem eminentemente sensível, que denominamos felicidade.

Desenrolar de causa a efeitos, o encadeamento dos empreendimentos não resulta de discussões de cenáculos, mas das próprias realidades da vida: sociedade em plena ação, trabalho das terras e da indústria, repouso no seio de um lar, cujas realidades constitutivas devem ser encaradas com clareza e firmeza. A ASCORAL prende-se à morada e a seus prolongamentos e pensa poder abrir para uma sociedade de hoje, cansada e enfraquecida pelo ódio, uma era de ativas iniciativas. Há cem anos, a humanidade rompeu com a velocidade milenar e eterna de seu passado: a marcha a pé a quatro quilômetros por hora e se viu armada com as velocidades mecânicas: tudo foi questionado. A ASCORAL reexamina a própria ocupação do solo e esta, felizmente conduzida pela exploração das fatalidades mecânicas, presta-se, então, ao acordo entre o trabalhador da terra e o das fábricas.

Não se trata de idéias pré-concebidas, mas de elementos de doutrina, adotados por nove seções de estudos da ASCORAL, e que poderão ser interpretados como *uma declaração dos deveres do homem para com a Sociedade* — e, particularmente, na França — para com a nação.

Adotada a doutrina, será ela utilizada, levada à opinião pública, aos técnicos, ao governo.

Desenrolar-se-ão, então, no país, fenômenos concomitantes: acontecimentos plásticos, éticos, estéticos. Lirismo tomando conta de uma sociedade e servindo-lhe de alavanca.

173

Seção II

Pedagogia

Esta tarefa do ensino pertence à nossa geração.

As crianças de hoje constituirão, um dia, a geração que utilizará os equipamentos que organizaremos para ela. Impõe-se preparar essa nova massa social; será formada, desde sua mais tenra infância, nas escolas.

Estes novos ensinamentos serão confiados aos professores e professoras das escolas maternais, primárias e secundárias. Uma noção deve ser difundida no país, a que suscita os atos materiais e, também, as luzes da sensibilidade e do pensamento:

Saber habitar

Verificou-se que em meio à depreciação deste fim de sociedade, em todos os lugares, os equipamentos são deficientes — as escolas, como todo o resto (as moradias, os locais de trabalho e os de descanso).

Existem 32.000 escolas rurais, por exemplo. Um grande número destas estão abandonadas, inadmissíveis doravante. O programa comporta a construção de 32.000 construções escolares, munidas de seu equipamento. Este último é novo, pois será necessário para, um dia, realizar o equilíbrio social na base do *Saber habitar,* formular os programas e os métodos de ensino pelos quais será introduzido o problema do domínio construído. Precisamos construir 32.000 laboratórios de ensino. Em lugar de palácios escolares, impecáveis barracões.

O problema do domínio construído estará inserido no ensino primário e no ensino secundário. *A partir daí, o ensino da escola estender-se-á ao lar.* Esta nova vida, introduzida por uma interpretação exata da noção *Saber habitar,* será levada a debate, pela criança, no ambiente familiar. "Pai e Mãe dormem a vida toda; eles têm tendência a dormir em todas as coisas; é preciso que um ser novo os desperte e os sustente com uma nova e viva energia que não mais existe neles. É preciso um ser que aja diferentemente e que, cada manhã, diga: Há uma outra vida que você esqueceu. Aprenda a viver melhor...!" (Montessori.)

Programa do estudo

Formular os programas qualitativos e as ordens de tamanho ideal:

— da morada,
— dos prolongamentos da morada,
— da Unidade de habitação.

O estudo dos meios que garantirão a realização desses programas não cabem nesta Seção. Ele será feito pelas Seções de Construções e de Industrialização e pela Seção jurídica e financeira.

O trabalho da Seção de *Equipamento doméstico* consistirá, pois, em:
— Reunir todos os dados que permitirão colocar os problemas da habitação.
— Pesar esses problemas de modo concreto.
— Analisar suas várias soluções possíveis.
— Formular os programas a propor aos construtores e à indústria, quando for possível fazê-lo de modo suficientemente geral.

Muitos problemas serão colocados no curso do estudo, aos quais não serão dadas respostas precisas, pois não podem ser resolvidos no absoluto.

Convém não nos iludirmos a esse respeito e não pretendermos constituir um documento definitivo sobre a habitação.

Trata-se de estabelecer um método geral de estudo, de dar exemplos de sua aplicação e instituir as regras que, desde já, parecem impor-se — e oferecer, assim, os elementos concretos de uma doutrina coerente que sairá enriquecida de cada uma de suas aplicações posteriores.

O estudo será conduzido do interior para o exterior, isto é, a partir dos problemas individuais para as soluções coletivas, e em cada caso a partir da análise das necessidades para a definição dos meios que assegurarão sua satisfação.

Compreenderá as seguintes etapas:
— Um estudo geral das necessidades essenciais das várias categorias de seres, encarados como usuários da habitação.

Daí a definição das diferentes categorias de problemas a resolver.
— Um estudo crítico das soluções normalmente adaptadas.
— O estudo propriamente dito do equipamento desejado.

Cada problema elementar que é objeto de uma análise pormenorizada da necessidade a satisfazer será levado até o enunciado preciso do fim a atingir, através do equipamento pesquisado que servirá de base às pesquisas das outras seções técnicas.

A crítica das diferentes soluções verossímeis far-se-á examinando somente sua eficácia, isto é, a qualidade dos serviços que cada uma oferece.

O sumário abaixo foi estabelecido a fim de permitir a organização de um plano de trabalho e de uma distribuição das tarefas entre os diferentes membros da Seção e, também, servir como primeiro esqueleto da publicação prevista para o fim dos estudos.

Sumário proposto, 1ª parte
As necessidades essenciais.
Os problemas a resolver.

Nota preliminar. Definição das categorias de usuários que serão encarados, segundo:

seus recursos,
suas idades,
seus gostos,
seu número numa mesma família.

A. Necessidades fisiológicas.

Problemas — Proteção $\begin{cases} \text{intempéries,} \\ \text{temperatura,} \\ \text{ruído.} \end{cases}$

— Aeração.
— Luz.
— Sono.
— Alimentação.
— Higiene.

B. Necessidades materiais

Problemas — Manutenção $\begin{cases} \text{locais,} \\ \text{vestuários.} \end{cases}$

— Serviço
— Puericultura
— Circulação
— Orçamento

C. Necessidades psicológicas.

O homem não reclama, no quadro de sua vida quotidiana, outra coisa senão a única satisfação de suas necessidades fisiológicas e materiais.

Quais são as necessidades psicológicas que o construtor deverá levar em consideração, isto é, aquelas cujas conseqüências serão formas, dimensões, disposições ou uma organização na Unidade de habitação?

As necessidades psicológicas ou materiais são fatos indiscutíveis, basta um espírito lógico para defini-las — neste ponto do estudo, ao contrário, será necessário estabelecer com clareza a concepção da vida na habitação que deve servir de base ao conjunto do trabalho: respeito ao indivíduo, realidade da vida familiar, contatos sociais de todas as espécies ..., fatos todos que intervirão na escolha das dimensões, a distribuição dos espaços, a organização dos prolongamentos da morada etc.

Importa pôr no papel algumas idéias claras sobre este assunto infinitamente delicado.

Problemas:

— Estéticos, — espaços interiores,
— paredes,
— vistas, terraços,
— mobiliário,
— edifícios, proporções, dimensões
— jardins, disposição, plantação,
— circulações.

176

— da vida na morada,
  — independência individual,
  — equilíbrio familiar,
  — educação das crianças,
  — serviço,
  — amigos.
— da vida na Unidade de habitação,
  — independência familiar,
  — vizinhos,
  — prolongamentos da morada.
— Conclusão da primeira parte:
  — Determinação dos tipos de habitação a estudar:
    volumes individuais,
    disposições interiores,
    especificação e qualidade dos instrumentais,
    dos prolongamentos da morada.

II Parte

As soluções atuais. Crítica.

Poderão, com vantagem, ser objeto de quadros sinóticos, com a indicação dos materiais e das disposições clássicas adotadas para satisfazer as diversas necessidades analisadas anteriormente; as indicações críticas sobre o valor dos serviços prestados permitirão salientar os equipamentos particularmente mal-adaptados que deverão, portanto, ser objeto dos esforços principais do estudo feito.

Do mesmo modo, serão claramente opostas as necessidades satisfeitas pelos equipamentos atuais e de custo aceitável para todos os usuários, e aquelas que só poderão ser usufruídas por uma minoria, ou, ainda, de preço inacessível, de modo geral, e por procedimentos antiquados, socialmente intoleráveis.

III Parte

As soluções racionais.

A. A morada.
  — Os espaços funcionais e seu instrumental.

    Dormitório.
    Sanitário.
    Cozinha.
    Rouparia.

  — O universo das crianças.
  — O lar: Lugar de recolhimento e trabalho.
    Sala de jantar.
    Sala de visitas ou sala comum.
  — Plano das disposições preconizadas.
    Tipos.
  — Cadernos de encargos dos elementos bem definidos da construção da morada.

B. Os prolongamentos da morada.

— Órgãos coletivos que prestam os serviços que não podem ser realizados na escala individual.
— Estudo separado de cada serviço, compreendendo:
— Análise das necessidades a satisfazer.
— Esquema das soluções possíveis.
— Determinação das dimensões ótimas.
— Estudo dos instrumentos a prever.
— Avaliação do pessoal necessário.
— Plano dos locais necessários.
— Esquemas de organização, funcional, administrativa e financeira.

— Serviço de hotelaria:
— Recepção, telefone, guarda.
— Manutenção dos locais da rouparia (lavanderia...).

— Alimentação:
— Abastecimento.
— Preparação.
— Serviço, lavagem de pratos.
— Restaurante eventual.
— Quartos para amigos:
— Salas de reunião, de música...
— Bar, bilhares, jogos......
— Gabinetes de trabalho independentes.
Garagem. Eventual oficina para *hobbies*.
Saúde. Medicina preventiva. Partos.
Guarda das crianças. Jardins de Infância. Escola.
Esportes. Terrenos. Jogos. Piscinas.
Jardins. Culturas.
Comércio diário.

C. A unidade de habitação.

Ordem de importância conforme as necessidades e econômicamente viável.
Ocupação do solo:
estudo teórico,
influência dos preços de custo na construção,
como exploração.
Dimensões e disposições dos vários elementos.
Dimensões das construções:
formas,
altura,
espessura,
largura.
Disposições internas:
morada,
prolongamentos,
circulações.
Disposição no terreno:
orientação,
espaçamento.

Utilização do terreno não construído:

circulação { veículos,
pedestres,

jardins cultivados e esporte.

Organização da Unidade de habitação. Indicações sumárias sobre:

Propriedade.
Gestão.
Pessoal.
Serviços por empreitada.
Serviços sob encomenda.
Orçamentos.

Conclusão:
Diversos tipos previstos
Esquemas típicos.

Seção III a.

**Equipamento Doméstico
Programa de Trabalho**

Objetivo do estudo

Definir o mais favorável equipamento para o homem no plano de habitação, assegurando a seus ocupantes a satisfação de suas quotidianas necessidades fisiológicas, materiais e psicológicas.

A unidade de habitação é a porção do domínio construído na qual se desenvolve a vida quotidiana: não compreende os locais de trabalho, os centros culturais e administrativos, nem os locais de divertimento. É constituída por um conjunto de edificações e de espaços plantados e livres que compreendem as moradas e seus prolongamentos, assim como as circulações necessárias.

Cada habitante da "Unidade" poderá encontrar tudo o que lhe for necessário para a vida diária na própria "Unidade".

As distâncias horizontais são bastante reduzidas para que se precise prever algum meio de transporte mecânico dentro do território.

A unidade de habitação é o órgão constitutivo elementar do Centro.

Sua noção deve substituir, na mente do construtor, a da simples morada individual que resolve somente alguns problemas da habitação.

A *Unidade de habitação* opõe-se, de outro lado, esteticamente ao princípio da construção fracionada das cidades atuais, baseada na existência do muro divisório e suas ignóbeis conseqüências.

Pressupõe a possibilidade de um reagrupamento dos terrenos, sem o qual nenhum urbanismo verdadeiro poderá ser realizado.

179

Necessidade do estudo realizado

O atual domínio construído ignora ao mesmo tempo:

— a preocupação de satisfazer, de modo racional, as necessidades de todas as ordens de seus usuários,

donde o desequilíbrio moral ou físico de suas vidas, que eles ressentem de modo mais ou menos consciente;

— os meios que os técnicos atuais põem à sua disposição,

donde o paradoxo formado pelo contraste existente entre os métodos industriais atuais e as concepções contemporâneas da construção e sua conseqüência essencial: o custo excessivo da habitação.

Toda uma parte da população vive, atualmente, em moradias de tal ordem e em tais "bairros" que não pode ter uma óptica de acordo com os diferentes valores humanos.

Uma modificação deste estado de fato teria imensas conseqüências para o indivíduo e para toda a sociedade.

Ora, somente a utilização racional das atuais e possíveis técnicas pode permitir que se efetue essa transformação de maneira economicamente viável, no mundo tal como se apresenta hoje e que seria inútil negar.

Os inúmeros estudos da ASCORAL demonstrarão esse fato.

Ora, os meios técnicos, para agirem com plena eficiência, devem, desde sua origem, ser dirigidos segundo uma orientação conveniente.

Impõe-se, pois, "repensar" com clarividência todos os problemas da habitação e estudar suas soluções racionais.

É o objetivo do estudo empreendido pela Seção *Equipamento.*

Seção III b.

Construção

O âmbito de trabalho desta seção se insere entre dois campos distintos do conhecimento:

— Conhecimento *das necessidades do Homem*
— Conhecimento *das possibilidades da Matéria.*

A construção deve conciliar essas necessidades e essas possibilidades.

É a resposta do arquiteto, através dos meios materiais que lhe dão os engenheiros e os industriais, às solicitações formuladas pelos psicofisiologistas e pelos higienistas.

Temos, pois, de fazer o inventário *das condições impostas pelo Homem* e o inventário das *condições impostas pela Matéria.*

O estudo das condições impostas pela natureza humana (no plano individual e no plano social) pertence às seções Saúde-Trabalho, História e Geografia Humana. Essas condições são particularmente estudadas pela Seção III*a Equipamento doméstico,* que se prende, mais especialmente, ao estudo das funções da morada e de suas disposições orgânicas.

O estudo das condições impostas pela matéria faz parte de nosso campo, mas depende, também, da Seção III*c Indus-*

trialização, que, por sua vez, tem o objetivo de conciliar as possibilidades de ordem *física* com as de ordem *econômica* definidas pelas seções VII (Jurídica-Financeira) e VIII (Empresa).

É evidente que não se trata de fazer um retrospecto de todas as maneiras de construir. Lembraremos somente que cada uma delas nasceu de um conjunto de condições características de uma época ou de um lugar. O que nos importa é determinar aquelas que — antigas ou recentes — estão, hoje, vivas, das quais é útil fazer uso e extrair-lhes as *normas*.

Toda norma é um ótimo válido durante certo tempo. Permanente em seu objeto, é evolutiva em suas formas. Isso porque ela está ligada ao progresso das necessidades, das aspirações do Homem e de seus meios.

Este ótimo raramente coincide com uma média, pois implica em um progresso sobre a média. A norma é, às vezes, um mínimo humano imposto sobre um máximo material: é o que acontece com as normas de volume da morada.

As aspirações do Homem são limitadas somente pela sua imaginação; não são, portanto, normativas por si mesmas.

Por outro lado, certas normas de construção dependem da forma e das dimensões do corpo humano e de seus movimentos: são as *normas geométricas corporais*.

Outras dependem mais de seu funcionamento orgânico: são as normas fisiológicas, ou *normas de ambiente*.

No outro pólo, a Matéria impõe seus limites e define, por si só, as condições ótimas ou normas.

Estas normas materiais serão de ordem *geométrica*, quando se exprimirem por medidas especiais — e, de ordem física, quando dependerem de outras qualidades ou se expressarem por outras quantidades mensuráveis.

Finalmente, as *normas de construção* propriamente ditas resultarão da síntese destas normas elementares. Definirão as Normas Complexas de Construção da Morada, considerada no seu conjunto geométrico (por exemplo, gabaritos) ou em alguns de seus órgãos localizados (blocos de equipamento) ou não localizados (sistemas circulatórios).

Esta análise conduz, pois, à seguinte classificação prática, que constitui nosso programa de trabalho:

I — Normas de ambiente.
II — Normas geométricas corporais.
III — Normas físicas dos materiais.
IV — Normas geométricas dos materiais.
V — Normas de construção.

I. *Normas Fisiológicas ou Normas de Ambiente*

Trata-se, aqui, dos meios de que dispomos para conseguir um meio físico ótimo para a vida, pelo controle das várias formas de *energia* que agem sobre o organismo e afetam a sensibilidade:

— energia irradiante e luminosa: radiações, luz;
— energia térmica: calor;
— energia química: quantidade do ar;

— energia sonora (mecânica): trepidações e ruídos.

Devemos, ainda, tomar conhecimento dos fatores não-energéticos, de ordem psicológica, que influem sobre o comportamento humano em um dado ambiente — (à maneira de um catalisador ou uma vitamina para as reações químicas); necessidade de espaço — sentimentos de liberdade —, influência psicofisiológica das flores, dos ruídos e das cores; influência dos campos magnéticos, dos corantes telúricos etc.

II. Normas Geométricas Corporais

Plantas, Cortes e *Volumes* impostos pelo homem ao edifício:

a) Níveis principais: janelas, armários, mesas, altura de tetos, perfis de escadas e rampas;

b) *Corte* de passagem: coxias, portas, perfis de circulação;

c) *Áreas e volumes de serviço ótimos elementares*, correspondendo às *funções* definidas pela seção IIIa: sono, limpeza corporal, refeições, trabalho, as relações entre essas funções e as disposições interiores resultantes delas.

III. Normas Físicas dos Materiais

Trata-se, aqui, das *propriedades características dos materiais* de que dispomos para construir: de sua natureza, de suas qualidades e de seus defeitos, de sua resistência aos esforços mecânicos, de sua resistência aos agentes de destruição físicos e químicos, de suas características que influem sobre a habitabilidade.

Tais materiais são: a pedra, a madeira, o barro cozido e os produtos cerâmicos, as ligas, o aço (problema dos aços inoxidáveis), o concreto armado (problema das formas), o vidro (problema do isolamento dos vidros), o alumínio, as matérias plásticas, isolantes diversos, complexos.

IV. Normas Geométricas dos Materiais

a) Dimensões dos materiais de construção pré-fabricados.

b) Estabilidade das estruturas e suas dimensões econômicas e ótimas; ossaturas, pisos e divisões.

V. Normas de Construção

a) *Áreas e volumes de morada ótimos*:

Profundidades e larguras normais das células de habitação, tendo em vista os dados da seção IIIa, concernentes às disposições relativas da morada.

b) *Gabaritos resultantes e suas conseqüências*:

Características dimensionais das unidades habitacionais. Problemas de orientação e de transporte vertical.

c) *Normas de construção dos elementos complexos*:

Sistema circulatório (canalização).

Órgãos de equipamento (blocos-água, blocos-cozinha etc.)

182

Seção IIIc

Industrialização

Necessidade do estudo

O domínio construído francês era notoriamente insuficiente, já antes da última guerra.

As destruições ainda existentes vieram agravar o problema de sua atualização.

Este problema deverá ser resolvido e realizado em curto prazo e em condições econômicas, tanto do ponto de vista financeiro, quanto do ponto de vista dos transportes, das matérias-primas e da mão-de-obra. O resultado deverá ser um domínio construído de qualidade, isto é, que responda, de modo tão completo quanto possível, às várias necessidades de seus futuros habitantes.

O trabalho de seção *Equipamento* determinará essas diferentes necessidades.

Ora, os métodos atuais de construção levam a uma construção lenta, custosa, devido ao desperdício de mão-de-obra, de material e de transporte, e muito desigual em qualidade (uma produção artesanal submetida a um regime de concorrência de preço é levada a fabricar mal).

Surge, então, um problema:

Provavelmente, a aplicação dos métodos aprovados na indústria permitiria atingir os fins necessários:

qualidade, rapidez de execução, economia.

Impõe-se esclarecer como deverá ser realizada essa industrialização para ser eficaz.

Objetivos do estudo:

1º Determinar as vantagens precisas que se podem obter de uma modificação dos métodos de construção.

2º Analisar as dificuldades a vencer.

3º Expor as linhas gerais da organização proposta:
os vários tipos de construção industrializada,
indústrias a criar,
profissões que deverão modificar seus métodos de trabalho: arquitetos, empreiteiros.

Sumário proposto

A. Análise dos métodos atuais de construção:
— Papel do arquiteto. Estudos, Planos.
— Elementos industrializados.
— Canteiros. Papel do Empreiteiro.
— Transportes.

Conclusão: Estudo crítico de um preço de custo, pontos deficientes.

B. Definição da Construção Industrializada:
— Construção "de série"
— Construção "normalizada".
— Qualidade da construção.
— Qualidade para o ocupante. Aspecto.
— Preço dos protótipos franceses, estrangeiros.

183

— Dificuldades encontradas para passar à escala industrial.
— Previsões de preço de custo, tempo...

C. Método proposto:
— Estudo profundo:
células protótipo,
elementos normalizados,
papel do Arquiteto. Planos.
— Indústrias de pré-fabricação:
noções sobre as várias categorias de indústrias relacionadas,
matérias-primas prováveis,
indicações sumárias sobre o gênero de peças que deverão ser fabricadas,
ordem de importância das indústrias desejáveis.
Métodos de montagem.
Empreendimentos.

Seção IV

Saúde

Anteprojeto de classificação dos estudos a empreender (Rubricas e capítulos do livro da Seção IV.)

Prefácio

1. Recordação das constantes biológicas humanas que condicionam as relações harmoniosas do homem com o meio exterior

2. Diretivas fundamentais que daí resultam, concernentes ao domínio construído: são estas leis naturais que ditam os planos. Impõe-se que sejam inscritas nos planos de toda construção. (Perigo do artificial.)

3. A colaboração do higienista e do médico com os construtores. Como estabelecê-la. A amplitude das questões propostas. Aquelas que, aqui, podem ser respondidas. Abertura de um questionário permanente para resolver as que ainda são discutidas ou mal conhecidas.

Plano do livro

Os problemas deverão ser forçosamente encarados sob pontos de vista diversos, mas o conjunto deve formar um todo coerente bem classificado, no qual será fácil a qualquer pessoa orientar-se. Os documentos reduzir-se-ão ao essencial. Preceitos imperativos, indiscutíveis com relação ao domínio construído devem ser claramente identificados.

As rubricas mais importantes serão as dos elementos naturais primordiais, indispensáveis à vida, como o *Ar,* a *Luz.* Depois virá a do *Som* e a das radiações cujas influências sobre a saúde do homem (sempre em relação com o domínio construído) deverão ser precisadas. Neste primeiro capítulo, estes diversos elementos serão considerados em primeiro lugar, de alguma forma, no estado puro.

184

As necessidades humanas (satisfação das condições psicofisiológicas ótimas) serão objeto de um segundo capítulo. As múltiplas incidências das relações harmoniosas entre o homem e o meio onde vive se concretizam sob os aspectos das necessidades humanas, das quais algumas são essenciais, que seria bom satisfazer sempre e em toda a parte, e outras são peculiares a um dado lugar ou a uma determinada época. Os progressos das técnicas, graças às aquisições da ciência, abrem, a cada dia, novas rubricas sobre os modos aperfeiçoados de satisfazer essas necessidades; é assim que serão estudados certos problemas já mais complexos, concernentes às relações do homem com os elementos naturais: necessidade de ar puro, sob uma determinada temperatura e higrometria, luta contra o frio, calefação do domínio construído, luta contra o calor, a falta e o excesso de umidade etc., problema da iluminação da morada, natural e artificial, as necessidades humanas relacionadas com os vários climas.

Em seguida, virão os aperfeiçoamentos mais pormenorizados, levando em consideração o homem instalado em sua própria vida, de modo a satisfazer, da melhor forma, cada uma das funções essenciais:

Habitar,
Trabalhar,
Cultivar o corpo e o espírito,
Circular.

Um grande lugar será reservado a problemas mais delicados já estudados em seus elementos fundamentais nas rubricas anteriores, mas que precisam ainda ser aperfeiçoados em certos pormenores. Ficaram eles, por enquanto, sob a rubrica provisória de: Anexos diversos.

Os Elementos Naturais: O Meio

A. Ar.
Composição do ar: o ar puro (gases elementares e gases compostos. Ozona).
Ar poluído: Fumaças, gases tóxicos, poeiras, micróbios etc. (análises).
Higrometria: umidade, nevoeiros etc.
Pressão atmosférica.
Ar e superfícies plantadas.
Ar e radioatividade.
(As técnicas do ar são estudadas no capítulo II: As necessidades humanas.)

B. Luz.
Estudos das radiações solares (Infravermelho e Ultravioleta) e outros elementos.
Ações diversas da luz sobre o organismo humano.
Ar e luz.
Cores: efeitos psicofisiológicos (os temperamentos).

C. Som
O ruído.
O silêncio.
(Efeitos sobre o organismo.)

185

D. Eletricidade atmosférica.
Ionização.
Campo eletromagnético.
E. Radiações diversas.
Radiações cósmicas.
Radiações telúricas propriamente ditas.
Radiações vegetais, animais etc.

Necessidades Humanas

A. Necessidade de ar puro (a uma dada temperatura e higrometria etc.). As leis da respiração.
Cubagem da morada (aeração, ventilação).
O problema da calefação.
As técnicas do ar (luta contra o calor, o frio, a falta e excesso de umidade, a poluição etc.).
B. Necessidade da luz.
Orientação da morada.
Aberturas: tetos e terraços.
Vidros, painéis de vidro.
Problemas da iluminação artifical.
C. Necessidade de silêncio.
Insonorização.
D. Harmonização com o clima.
Latitudes diferentes. Estações.
O solo (escolha da base para o domínio construído).
Superfícies plantadas.
Horizonte, espaço.
Sítios diversos (planícies, montanha, mar, cursos de água).
Ventos.
Chuvas.
Modificações impostas ao clima de um lugar por uma aglomeração urbana.
Microclimas.
Proteção contra as radiações nocivas (materiais).

Funções Humanas

A Habitar.
Relações gerais da morada com os elementos naturais fundamentais: ar, luz, espaço, vegetação.
Materiais de construção.
Saneamento da morada (dejetos, lixo etc.).
Regras gerais da composição e do equipamento interiores da morada, visando à satisfação das leis biológicas.
(Unidade de habitação, lar eficaz.)
A morada na cidade: Densidade de população. Espaços livres.
Habitação em altura. Edifícios de apartamentos.
Cidades-jardim. Cidades-satélite.
(Exame destes problemas, do ponto de vista da saúde do corpo e do espírito.)
A morada rural. (O problema em sua totalidade.)

186

B. Trabalhar.
Locais de trabalho, fábricas, escritórios etc. (as condições psicofisiológicas ótimas a serem obtidas nas várias indústrias).
Medidas profiláticas contra as fumaças e todos os elementos nocivos artificiais. (Higiene industrial.)
Medicina do trabalho. Relações do homem e da máquina.
A morada operária.
O trabalho no campo.
C. Cultivar o corpo e o espírito.
1. Alimentar-se: A água (o problema em sua totalidade).
   Os alimentos sadios.
2. Banhar-se: Duchas. Banhos.
3. Descansar: O quarto de dormir.
   O gabinete de trabalho.
   As férias.
4. Cultura física e Esportes (O problema em sua totalidade.)
5. Os divertimentos sadios.
6. Os anexos indispensáveis da morada:
   Esquema de conjunto (Saúde e Esporte).
   Na cidade.
   No campo.
7. A escola.
D. Circular.
As estradas. Viagens.
Manutenção e limpeza das vias públicas.
Segurança.

Anexos Diversos

A. A morada e as várias idades da vida (a criança etc.).
B. A morada, segundo as funções sociais particulares.
C. A morada, segundo os vários temperamentos humanos.
D. A morada e os problemas do vestuário.
E. Equipamento doença.
F. Equipamentos saúde (preventivos).
Tuberculose.
Câncer.
Reumatismos e o domínio construído.
Agentes patogênicos diversos.
Contágio das doenças etc.
G. Medidas de conjunto de higiene social.
H. Questionários permanentes entre os quais o questionário para a Fundação para o Estudo dos Problemas Humanos.

Seção V

Trabalho, Agricultura, Indústria

Condições do Trabalho

Condições morais:

a) alavanca da felicidade;
b) os economistas passam ao largo do problema;

187

Condições materiais:

b') papel da mulher;
c) a fábrica verde e a unidade rural;
d) relações eficientes entre o trabalho, a habitação e a cultura (do corpo e do espírito).

Condições morais:

a) O instrumento de medida ASCORAL é um certo *quantum* de felicidade, de alegria de viver. Que tudo seja organizado de modo que o trabalho não seja considerado como um castigo, mas, ao contrário, como uma ocupação capaz, na maior parte das vezes, de despertar o interesse de quem a ele se dedicar.

"Dignificação" do trabalho.

Intensificação do trabalho (é evidente que o aumento dos produtos do trabalho será levado em consideração por medidas que não nos interessam aqui).

Esta transformação moral do trabalho será obtida pelo desenvolvimento dos dons de observação; a observação é o fator determinante das invenções; estando alerta o espírito criativo, o operário pode sentir sua participação na aventura em que será um dos elementos atuantes. Esta aventura, colocada simplesmente no plano moderno, é capaz de determinar grandes satisfações morais.

b) Os economistas, voltados exclusivamente para os fenômenos materiais, passam, pois, ao lado do problema, e sempre encontrarão diante de si a massa dos operários numa atitude hostil ou defensiva.

b') Papel da mulher:

No seio de uma civilização categoricamente mecanizada, dispondo, portanto, de ilimitadas energias e realizando, assim, uma transformação fundamental dos meios de fabricação, a mulher parece poder reencontrar seu papel essencial que é ser a animadora do lar. Portanto, deixará de trabalhar na fábrica e, no campo, seu papel será contribuir para uma melhor exploração do equipamento rural, intimamente ligado ao lar.

Condições materiais:

c) Só poderá ser atingido um plano moral superior se for constituído um meio caloroso pelos recursos atuais da arquitetura e do urbanismo. Trata-se, realmente, deste novo ponto de vista, não mais somente das máquinas e dos produtos industrializados, mas dos locais e dos lugares onde seres vivos dedicam a parte essencial de sua existência — o trabalho — em ocupações que exigem maior ou menor atenção.

Colocamos, aqui, o problema do ambiente, do qual se fez pouco caso durante o primeiro século da máquina.

Durante as horas diárias de trabalho (isto é, durante a maior parte da própria vida), as reações psicofisiológicas provocarão, segundo as disposições tomadas, o bem ou o mal-estar, a felicidade ou a infelicidade.

É possível, é fácil organizar lugares e locais capazes de provocar reações psicofisiológicas favoráveis. Seria a "*fá-*

brica verde" para a indústria e a constituição da *"unidade de exploração rural"* ou (*"agrícola"*) de dimensão ideal para a agricultura.

d) Uma vez criado o ambiente, os dispositivos e os agenciadores de todo o tipo, conduzindo à eficácia, à economia de tempo e de sofrimento resta, ainda, a considerar as disposições de um dia solar harmonioso que trará repouso e excitações variadas e necessárias no ciclo semanal e no ciclo anual. Aqui, ainda, onde são evocados os lazeres, o problema dos locais impõe-se e a solução será oferecida pela arquitetura e pelo urbanismo.

Relações entre o trabalhador da indústria e o trabalhador do campo

a) Confusão entre os dois.

b) Urbanismo e ruralismo.

c) Reexame da ocupação do solo pela indústria e pela agricultura (centro linear industrial e grandes reservas camponesas).

d) A questão é colocada por certos meios industriais e econômicos; cabe confundir em uma só entidade, em um ser híbrido, o operário da fábrica e o operário dos campos? (solução proposta por certos americanos).

O trabalhador da indústria é submetido à lei solar quotidiana de vinte e quatro horas, enquanto que o trabalhador dos campos obedece à tríplice lei solar do ano, das estações e do dia.

Não parece que o mesmo indivíduo seja capaz, mental e fisicamente, de acumular o conjunto dessas tarefas; mais que isso, afigura-se que as funções diretamente interessadas — a indústria de um lado e a agricultura de outro — não se satisfariam com o trabalho deste híbrido; a questão colocada parece opor-se à natureza das coisas. Coloca-se com certeza um problema: o da unidade que deve reger o conjunto dos trabalhadores do campo e da indústria, mas parece que tal unidade só encontrará eficiência no plano espiritual e, não, no material. Não deve haver confusão de ocupações (mão-de-obra), mas confusão de ideal social, cívico, ético etc.

Os deficits da primeira era da máquina nos levam à procura dessa unidade moral que jaz no despertar da terra.

Uma outra manifestação de unidade poderá intervir, uma vez tomadas as disposições de ocupação do solo, através de um contato autêntico estabelecido entre os locais onde se exerce a indústria e aqueles onde é exercida a agricultura.

Fora do trabalho, poderão ser mantidos contatos entre os trabalhadores das duas categorias, contatos provocados e facilitados pela disposição dos locais de trabalho, os da indústria e os da agricultura.

b) Os dois termos, urbanismo e ruralismo, implicam uma dualidade que expressa dois acontecimentos separados; a tendência à unidade nos levará, pois, a procurar um terceiro termo, capaz de associar os dois precedentes e suscetível de qualificar esta unidade dos trabalhadores cuja necessidade é, hoje, tão sentida.

c) *O centro linear industrial,* estendendo-se ao longo das vias de transporte das matérias-primas, vai situar-se, fatidicamente nos grandes caminhos inscritos na geografia e na história; suas extremidades tocarão pontos igualmente fatídicos de cruzamento, onde sempre existiram os burgos e as cidades e onde se realizavam a concentração e a irradiação referentes ao território em volta; nesses pontos de encontro do *centro linear* com a *cidade radioconcêntrica,* será reservada uma zona importante de proteção; nesse espaço feito reserva, dar-se-ão os fenômenos de vitalização recíproca entre o centro linear industrial e a cidade radioconcêntrica, ou vice-versa (intercâmbios espirituais).

Grandes reservas dos campos:

Os centros lineares industriais, em vez de disseminar a indústria e suas conseqüências precisas em todos os pontos do país, donde poderiam surgir os piores efeitos, provocarão, ao contrário, a sobrevivência das grandes reservas camponesas, cuja existência constituirá, certamente, um benefício para o país; mas quem diz as reservas camponesas não quer dizer, de modo algum, uma volta atrás, nem a manutenção *statu-quo* de um estado de coisas que se revelou nestes últimos tempos desesperado (abandono dos campos). Trata-se, ao contrário, de animar, significar, intensificar o trabalho da terra, colocando-o em diapasão com as outras atividades industriais.

Uma série de fenômenos intervirão aqui: graças à eletricidade, equipamento das "indústrias de complemento" na aldeia (antes, o campo terá sido industrializado, isto é, munido dos mecanismos favoráveis ao trabalho da terra, às culturas e à criação e, muito especialmente ainda, às indústrias específicas, como a conserva de legumes, de frutas, de leite, extratos, madeira, pecuária, pesca e caça).

Por outro lado, dados os meios modernos de transporte — estrada de ferro e de rodagem — e os meios de conservação (frigoríficos), novas relações vivas se estabelecerão entre produtores (unidade de exploração agrícola) e unidade de habitação das grandes cidades (abastecimento). Essas novas relações podem, por exemplo, implicar conseqüências decisivas sobre a anomalia do Mercado Central de Paris e, por outro lado, realizar um abastecimento infinitamente mais pontual e precioso dos habitantes da cidade.

Seria indispensável precisar bem a noção das "indústrias de complemento", que podem ser invernais, sejam anuais, de exploração nas estações ou contínua.

Resta colocar um problema: o motor elétrico e a bancada serão instalados na fazenda ou no interior da oficina comunal?

Problemas de equipamento

A. Unidade de exploração agrária.

B. Centro linear industrial.

190

A. Unidade de exploração agrária.

Aquilo que continua sujeito à velocidade de 4 quilômetros por hora. Aquilo que, ao contrário, é levado pela velocidade de 50 a 100 quilômetros por hora (em estradas planas e com motores).

a) Fixação, nestas novas condições, da "unidade de tamanho ideal para a exploração agrícola" com seu centro cívico.

Conseqüentemente, teremos uma produção aumentada: menos homens serão necessários, porém, em compensação, homens de *qualidade*.

Assim se dará a transformação da vida agrária.

b) Modalidades obedientes às leis da vida contemporânea que emanam da nova disposição dos contatos e dos controles, provenientes das novas velocidades que modificaram a vida rural.

c) O problema da recomposição (com fins de exploração), problema de policultura, transportado do plano familiar para o comunal (culturas de hortaliças, frutas, grãos, raízes, pecuária, florestamentos), aspiração da nova comunidade rural ou, pelo menos, da unidade de exploração agrícola.

d) Problema de equipamento:
— exploração, norma camponesa ASCORAL;
— equipamento habitação;
— equipamento civismo.

B. Centro linear industrial.

a) Exame da situação, na França unida a suas vizinhanças próximas ou longínquas, ou seja:
— sede das forças,
— diretriz das circulações,
— forma da unidade "indústria-agricultura", assegurando uma nova condição de exploração de uma e de outra e contatos favoráveis.

b) Constituição do centro linear (sob o signo das "condições naturais").

1º Corte longitudinal do centro (funções industriais e ligações com as cidades).

2º Corte transversal (funções da habitação e ligação com os moradores do campo).

3º Determinação harmoniosa das três funções: trabalho, habitação e cultura do corpo e do espírito.

4º As três unidades industriais:
— indústria de base,
— indústria de transformação,
— indústria de serviço.

5º A fábrica verde (elemento do centro linear industrial), sua descrição e confrontação com as experiências Ford, Bata etc.

Em resumo, o ponto de vista dos dirigentes do campesinato francês.

191

Seção VI

O folclore — a habitação e seu equipamento

A. Que é folclore

Saber do povo. Aquilo que não é oficial. A ciência da maioria em relação à ciência dos mais instruídos.

As produções folclóricas dizem respeito ao equipamento da habitação.

a) O instrumento folclórico: expressão local, que compreende uma solução ou uma forma particular da técnica própria a um dado período.

b) O produto artesanal: expressão espontânea de uma maneira de viver ou de sentir condicionada pelo meio físico, pelos recursos materiais próprios a uma região ou a um grupo humano.

c) A obra de arte popular: expressão isenta de toda solicitação ou influência exterior; ou transposição da arte erudita, condicionada pelas tradições espirituais e plásticas, características de uma região ou de um grupo humano.

B. Condição de existência.

Isolamento econômico e político, pouco favorável aos intercâmbios material e intelectual; impondo os recursos locais, exigência de uma economia com caráter familiar, indicando uma técnica ainda primitiva.

C. Causas de degenerescência.

a) Na França, as revoluções econômicas do século XVIII e as técnicas do século XIX, que provocam os intercâmbios de todo tipo e criam as especializações, suscitam a centralização e a primazia intelectual da Capital.

b) O aparecimento paralelo do espírito democrático e da crítica de arte, suprimindo, ao mesmo tempo, a noção de arte da côrte e a de folclore, a arte da classe dominante transforma-se na arte da totalidade da sociedade ou tende a impor--se como tal.

D. Razão de sobrevivência parcial.

A arte folclórica opõe-se à arte da côrte até o século XVIII, e, posteriormente, opõe *o campo à cidade*. Antes de tudo, é uma expressão autêntica, um sinal de vitalidade popular. Hoje, é considerada a marca do atraso que, no conjunto, o campo conhece em relação à cidade e, mais particularmente, certas regiões cuja situação geográfica e mediocridade econômica as protegem do grande movimento dos intercâmbios comerciais, industriais ou espirituais.

Preservação dos folclores

A. Conservação dos monumentos do folclore passado.

Mesmo estatuto que aos próprios monumentos históricos.

B. Distinção a propor entre os produtos do folclore.

a) As produções folclóricas que podem ser substituídas, por um preço menor, pelos produtos industriais, tendem a desaparecer.

192

b) Aqueles com os quais a indústria não pode concorrer diretamente (cestaria) só podem ser oferecidos em grande quantidade se empregarem métodos próprios dela (padronização).

c) As obras de arte populares, na França, parecem não passar de transposições inábeis da arte erudita; subprodutos. *Preconizar a manutenção de um folclore é deturpar-lhe o espírito. Aumentar a procura de suas produções é votá-las à industrialização.*

A habitação rural

A. O preço de custo.

A economia da casa rural é dominada pela preocupação de gastar menos em vez da *preocupação de ordem estética.* Essa mesma preocupação que, devido a dificuldades de transporte, exigia antigamente o emprego dos materiais encontrados no local da obra, pode recorrer hoje à utilização de materiais estranhos à região.

B. As questões climáticas

a) O telhado e o terraço — o telhado não é a expressão das regiões onde chove ou neva muito, é apenas a exteriorização de uma técnica que ainda não encontrou outro meio de pôr o edifício fora d'água — o sol condicionará certamente mais o aspecto da casa que as chuvas.

b) A arquitetura inter-regional, internacional. Arquitetura gótica e arquitetura francesa do século XVIII, *seus matizes. Situar condicionando a obra construída ao quadro natural. Condições de um possível renascimento.*

1. O que parece se opor a isto: a resolução do problema agrário pela introdução, no campo, dos métodos de produção industrial, os únicos suscetíveis de aumentar o rendimento. O provável abandono de certos materiais folclóricos demasiado pobres (adôbe, taipa).

2. Fatores favoráveis

a) Próximos. A desorganização dos transportes aconselhará, durante alguns anos ainda, no domínio construído, o emprego dos materiais locais.

b) Longínquos. Os lazeres de amanhã.

Seção VII

Jurídica e Financeira

Exposição do problema

A habitação: *seu estado atual.*

Insatisfação geral:

a) Dos proprietários: não-rentabilidade dos imóveis e suas conseqüências, paralisação das construções, da manutenção e dos reparos etc.

b) Dos locatários: insuficiência quantitativa e qualitativa das habitações, insegurança de usufruto, disparidade dos aluguéis etc.

c) Dos construtores: paralisação quase total de qualquer atividade, seja para trabalhos novos, seja para manutenção. Conclusão da exposição: jurídica e financeiramente, estamos em um impasse.

O fato jurídico: a propriedade territorial retalhada torna impossível qualquer solução de conjunto, vista segundo as possibilidades da técnica moderna; impõe-se então lutar pela expropriação e pelo estabelecimento de um regime de propriedade e de gestão coletivas.

O fato econômico: a não-rentabilidade dos imóveis só teria fim com o retorno ao direito comum, reclamado, aliás, mais ou menos abertamente, pelos proprietários. Sendo impossível o retorno ao direito comum, teremos de encarar soluções financeiras e econômicas novas.

Os meios e o fim.

Os meios: inventário das possibilidades construtivas da indústria de construção no seu estado atual.

O fim: estabelecimento de um "Plano diretor" em função das possibilidades construtivas atuais e das possibilidades de extensão da indústria de construção.

As soluções jurídicas, econômicas e financeiras.

Estatuto do solo: Propriedade e gestão individual substituídas por propriedade e gestão coletivas, expropriação, financiamento da expropriação.

Regime de construção: financiamento do capital da construção, vários tipos possíveis de instituição: repartição pública, autarquia, sociedade de economia mista, concessão, sociedade cooperativa, caderno de encargos, duração da concessão.

Regime de exploração: regime dos ocupantes, poderes e deveres jurídicos e técnicos, caderno de encargos e planejamento de manutenção, equilíbrio financeiro.

Seção VIII

Empresa

O término do ciclo de idéias levantadas pelo movimento ASCORAL deve encontrar sua expressão na realização material do programa dos trabalhos que decorrerá do estudo do problema; é o fim procurado e que se resume numa única palavra: "construir".

Neste ponto extremo do raciocínio intervêm os elementos de decisão que reclamam o executante, isto é, a empresa.

Seu papel é muito importante. O executante deve dizer o que é possível e o que é impossível; melhor ainda, pode e deve sugerir, propor soluções, orientar a decisão. Seu papel é, ao mesmo tempo, técnico e econômico, sendo o fim procurado o aprimoramento da qualidade e a redução do custo. A empresa deve, acima de tudo, inscrever-se em seu verdadeiro lugar, determinado pela doutrina de conjunto da ASCORAL.

É vasto o campo de ação normal da empresa. Em primeiro lugar, compreende os trabalhos da engenharia civil para cuja execução existem, em França, industriais muito competentes, de renome internacional; estas empresas possuem técnicos e um instrumental que lhes permitirão, no momento exato, encarar a realização dos grandes programas de equipamento do país: portos, estradas, ferrovias, canais, obras de arte, barragens, instalações hidroelétricas, grandes fábricas etc.

O campo de ação da empresa estende-se, também, ao que chamamos de Edifício e que compreende dois tipos de construção muito distintos; de um lado, aquelas cuja utilização e arquitetura são nitidamente individualizadas (como estádios, teatros, bibliotecas, escolas, edifícios hospitalares, administrativos etc.), e, de outro, as que se destinam à habitação.

As primeiras colocam um problema de construção que constitui casos particulares e que deixaremos de lado para considerar somente as construções para habitação.

Trata-se, pois, de considerar o papel da empresa na solução do problema da habitação e é aqui que devemos salientar a importância do assunto.

A habitação constitui o problema mais urgente no âmbito da construção e, também, o mais complexo. Em lugar algum foi resolvido, pois a experiência demonstrou de modo definitivo que, se, dentro de condições normais, o indivíduo pode obter, a preços razoáveis, sua alimentação, suas roupas e tudo o que lhe é necessário à vida quotidiana, a única habitação que possa ocupar será uma habitação vetusta, construída para uma população que não evoluiu. Chegamos à conclusão de que deveria haver alguma coisa errada na economia da construção, uma vez que os aluguéis dos alojamentos construídos com grande ajuda do Estado continuavam, ainda, fora do alcance de grande número de indivíduos. Observamos, ainda, que o preço da construção não cessava de aumentar enquanto que, por exemplo, a melhoria dos métodos de fabricação em série permitia abaixar, com regularidade, o preço de inúmeros produtos.

Foi possível concluir que era procedente industrializar a construção para uso da habitação e achamos justo tal raciocínio.

Mas não se constrói uma casa como se constrói uma máquina de escrever ou um automóvel. Não é um problema simplesmente de fabricação. É evidente que os métodos de produção em série deverão impregnar, cada vez mais, a atividade da construção, mas tornam-se indispensáveis mudanças profundas na estrutura econômica para tornar o mercado acessível a essas fabricações. Trata-se de um problema de integração que só pode ser resolvido se atacado, ao mesmo tempo, em todos os seus ângulos; impõe-se um plano de trabalho cujo significado e autoridade terão por efeito coordenar os esforços isolados de um grande número de espíritos orientados, atualmente, para esses problemas. Este é, precisamente, o objetivo da ASCORAL e podemos precisar o papel e a função da empresa no seio de tal agrupamento.

A indústria francesa da construção é capaz de empreender a imensa tarefa de reconstrução, uma vez que disponha dos materiais necessários?

195

Não hesitamos, um instante sequer, em responder que ela não está tecnicamente preparada.

Quais são, pois, seus meios? seus métodos?

Na França, podemos distinguir a empresa artesanal e a empresa industrial. Elas se distinguem, principalmente, pelo volume de suas respectivas atividades, uma vez que uma e outra conservaram uma forma e métodos tradicionais, sobre os quais pode-se dizer que a mecanização ainda tem pouca influência.

Trata-se de dar morada aos franceses, dar-lhes (sempre no plano técnico, que é o nosso) um mínimo de conforto compatível com os progressos técnicos de nosso tempo. É um problema ainda não estudado com seriedade e as soluções tradicionais não serão capazes de resolvê-lo. Podemos provar essa afirmação.

Deve-se racionalizar a construção, industrializá-la, deixá-la sob a influência da máquina e é obra de prática, é obra que o futuro espera do executante, da empresa.

Teremos os homens, teremos os materiais, construiremos as máquinas. Com efeito, o técnico assegura que a solução técnica e econômica do problema pode ser encontrada, e o será, se lhe oferecermos os meios.

Com base nesta realização técnica, cabe estabelecer um programa de trabalhos e de pesquisas cujas linhas mestras podemos traçar desde já.

Do ponto de vista econômico, podemos estabelecer o seguinte programa:

Escolha dos métodos de construção melhores e mais econômicos.

Melhoria das técnicas antigas.

Aperfeiçoamento de novas técnicas.

Experimentação dos novos métodos de construção.

Redução do trabalho manual.

Montagem e construção ao abrigo.

Melhoria da organização do trabalho.

Aparelhos e máquinas.

Engenhos para elevação e transporte.

Instalação de oficinas nos canteiros.

O "canteiro-fábrica".

O trabalho no inverno.

Coordenação dos profissionais.

Organização econômica do canteiro de obra.

Controle do rendimento dos operários e das máquinas.

Do ponto de vista técnico, devemos examinar, profundamente, sob o ângulo dos progressos científicos e da técnica moderna, um certo número de questões de importância capital e, principalmente:

A construção.

Montagem de elementos em série.

Utilização de elementos pré-fabricados.

Emprego de materiais leves.

O problema da parede.

Os soalhos.

196

As paredes de enchimento.
Escolha dos materiais.
Materiais novos (ensaios).
Isolação térmica.
Isolação fônica.
Equipamento técnico da habitação.
A calefação.
As canalizações.
As esquadrias metálicas.
As instalações sanitárias.
O emprego da eletricidade.
Pisos e soalhos.
A pintura.
A isolação interior (térmica e fônica).
O mobiliário.
Estudos dos elementos da série e sua montagem.

Devemos, enfim, prestar atenção, particularmente, aos problemas relativos à exploração da construção.
Andamento dos trabalhos (previsões e prazos).
Controle do andamento da construção, a partir das previsões e das despesas.
Minucioso estudo da duração da execução dos trabalhos.
Estudo do material e das máquinas.
Análise dos preços de custo e dos encargos de exploração.

O problema das construções rurais deverá ser objeto de um estudo particular.
Pequenas explorações agrícolas.
Habitação para operários agrícolas.
Instalações para pequenos cultivadores.
Métodos de construção rural.
Organização racional da construção rural.

Tais estudos devem se preocupar tanto com a construção de casas individuais, quanto com a construção de grandes edifícios de apartamentos, com serviços comuns.

BIOGRAFIA

Arquiteto, pintor e urbanista, Charles-Edouard Jeanneret (Le Corbusier) nasceu em La Chaux-de-Fonds, na Suíça, em 6 de outubro de 1887.

Com a idade de 18 anos, percorreu a Europa e passou alguns meses no ateliê de Auguste Perret.

Em 1918, fixou-se definitivamente em Paris, tendo escolhido a França como seu país de eleição. Pintou seus primeiros quadros e fundou uma doutrina estética que recebeu o nome de "purismo" e, também, uma revista, "L'Esprit Nouveau", na qual defende idéias tanto de arquitetura quanto de pintura.

Em 1924, abre um ateliê em Paris, que logo se tornará um dos centros da arquitetura moderna. Forma arquitetos mundialmente conhecidos, como José-Luis Sur e Oscar Niemeyer.

Em 1929, constrói a "Villa Savoye", em Poissy, obra-prima de audácia e de harmonia, recentemente declarada monumento histórico.

Em 1933, constrói o Pavilhão Suíço da Cidade Universitária de Paris.

Em 1943, redige a *Carta de Atenas*, verdadeiro breviário dos construtores contemporâneos, na qual são apresentados como os três materiais fundamentais do urbanismo — o sol, a vegetação e o espaço.

De 1945 a 1950, realiza seu protótipo de unidade de habitação, em Marselha, a "Cidade radiosa", à qual se seguirá a construção de duas outras unidades em "Rezé-lès-Nantes" e em Berlim.

Nos anos seguintes, inicia a construção da capital administrativa de Chandigarh, da qual lhe confia a direção o governo da Índia. Edifica a igreja de Ronchamp, o convento dominicano da Tourette, a sede do sindicato dos fiadores de Ahmedabad, como também inúmeras casas de morada, vilas, museus e palácios.

Doutor *honoris causa* das principais universidades do mundo, é, ainda, autor de numerosas obras que expõem e desenvolvem suas teorias.

A municipalidade de Nova Iorque acaba de oferecer-lhe a reconstrução de uma parte da ilha de Manhattan, em função das necessidades de vida e de circulação de uma cidade moderna.

PRINCIPAIS REALIZAÇÕES

1923	Maison La-Roche-Jeanneret, Paris.
1925	Pavilhão do "Esprit Nouveau", Paris.
1929-31	Villa Savoye, Poissy.
1930-32	Pavilhão Suíço. Cidade Universitária, Paris.
1930-32	Imóvel "Clarté", Genebra.
1932-33	Cidade de Refúgio, Paris.
1933	Imóvel para locação na "Porte Molitor", Paris.
1934-35	Palácio do "Centrosoyus", Moscou.
1936-45	Palácio do Ministério da Educação Nacional e da Saúde Pública, Rio de Janeiro.
1947	Palácio da ONU, Nova Iorque.
1947-52	Unidade de Habitação, Marselha.
1950-53	Capela de Notre-Dame-du-Haut, Ronchamp.
1950-60	Urbanização de Chandigarh, capital do Punjab (Índia) Construção de seu Capitólio. Palácio da Justiça. Secretaria dos Ministérios. Palácio da Assembléia.
1953-55	Unidade de habitação, Rezé-lès-Nantes.
1954-56	Palácio da Associação dos fiadores. Ahmedabad — Índia.
1955	Casa do Brasil, Cidade Universitária, Paris.
1956-58	Unidade de Habitação, Berlim.
1957-60	Convento de Tourette, Eveux.

BIBLIOGRAFIA

Etudes du mouvement d'art décoratif en Allemagne (Haefli, La Chaux-de-Fonds, 1911).

Après le cubisme — avec Ozenfant (Commentaires, 1918).

Vers une architecture (Crès, 1925 et Vincent Fréal, 1958).

La peinture moderne — avec Ozenfant (Esprit Nouveau, 1925).

L'art décoratif d'aujourd'Hui (Crès, 1925 et Vincent Frèal, 1958).

Urbanisme (Crès, 1925.)

Almanach de l'architecture moderne (Crès, 1925).

Une maison, un palais (Crès, 1925).

Précisions sur un état présent de l'architecture et de l'urbanisme (Crès, 1930 et Vincent Fréal, 1960).

Croisade — *Le crépuscule des Académies* (Crès, 1932).

Aircraft (éd. du Studio, Londres, 1935).

Quand les cathédrales étaient blanches (Plon, 1937).

Le lyrisme des temps nouveaux et l'urbanisme (Le Point, Colmar, 1939).

Destin de Paris (Sorlot, 1941.)

Sur les quatre routes (N. R. F., 1941).

La maison des hommes — avec F. de Pierrefeu (Plon, 1942).

Les constructions murondins (Chiron, 1941).

La charte d'Athènes — discurso introdutório de J. Giraudoux (Plon, 1943 e éd. de Minuit, 1957).

Entretien avec les étudiants des écoles d'architecture. (Denoel, 1943 e éd. de Minuit, 1957).

Propos d'urbanisme (Bourrelier, 1946).

New World of Space (Raynal & Hitchkok, 1948).

Le modulor 1949 (Architecture d'aujourd'hui, 1949).

Poésie sur Alger (Falaise, 1950).

L'unité d'habitation de Marseille (Le Point, Souillac, 1950).

Une petite maison (Girsberger, Zurich, 1954).

Le modulor 2 1955 (Architecture d'aujourd'hui, 1955).

Le poème de l'angle droit (Verve, 1955).

Les Plans Le Corbusier de Paris 1922-1953 (éd. de Minuit, 1956).

Ronchamp (Girsberger, Zurich, 1957).

Modulor T2 La parole est aux usagers (Architecture d'aujourd'hui, 1957).

L'urbanisme des trois établissements humains (éd. de Minuit, 1959).

Le Corbusier (Vincent Fréal, 1960).

Oeuvres complètes 1910-1960 (Girsberger, Zurich, 1960).

Oeuvre complète — em cinco volumes: 1924-1938, 1938-1946, 1946-1952, 1952-1957, 1957-1962. Publicada por W. Boesiger (Girsberger, Zurich).

URBANISMO NA PERSPECTIVA

Planejamento Urbano – Le Corbusier (D037)

Os Três Estabelecimentos Humanos – Le Corbusier (D096)

Cidades: O Substantivo e o Adjetivo – Jorge Wilheim (D114)

Escritura Urbana – Eduardo de Oliveira Elias (D225)

Crise das Matrizes Espaciais – Fábio Duarte (D287)

Primeira Lição de Urbanismo – Bernardo Secchi (D306)

A (Des)Construção do Caos – Sergio Kon e Fábio Duarte (orgs.) (D311)

A Cidade do Primeiro Renascimento – Donattela Calabi (D316)

A Cidade do Século Vinte – Bernardo Secchi (D318)

A Cidade do Século XIX – Guido Zucconi (D319)

O Urbanismo – Françoise Choay (E067)

A Regra e o Modelo – Françoise Choay (E088)

Cidades do Amanhã – Peter Hall (E123)

Metrópole: Abstração – Ricardo Marques de Azevedo (E224)

História do Urbanismo Europeu – Donatella Calabi (E295)

Área da Luz – R. de Cerqueira Cesar, Paulo J. V. Bruna, Luiz R. C. Franco (LSC)

ARQUITETURA NA PERSPECTIVA

Quadro da Arquitetura no Brasil
Nestor Goulart Reis Filho (D018)
Bauhaus: Novarquitetura
Walter Gropius (D047)
Morada Paulista
Luís Saia (D063)
A Arte na Era da Máquina
Maxwell Fry (D071)
Cozinhas, Etc.
Carlos A. C. Lemos (D094)
Vila Rica
Sylvio de Vasconcellos (D100)
Território da Arquitetura
Vittorio Gregotti (D111)
Teoria e Projeto na Primeira Era da Máquina
Reyner Banham (D113)
Arquitetura, Industrialização e Desenvolvimento
Paulo J. V. Bruna (D135)
A Construção do Sentido na Arquitetura
J. Teixeira Coelho Netto (D144)
Arquitetura Italiana em São Paulo
Anita Salmoni e Emma Debenedetti (D173)
A Cidade e o Arquiteto
Leonardo Benevolo (D190)
Conversas com Gaudí
Cesar Martinell Brunet (D307)
Por Uma Arquitetura
Le Corbusier (E027)

Espaço da Arquitetura
Evaldo Coutinho (E059)
Arquitetura Pós-Industrial
Raffaele Raja (E118)
A Casa Subjetiva
Ludmila de Lima Brandão (E181)
Arquitetura e Judaísmo: Mendelsohn
Bruno Zevi (E187)
A Casa de Adão no Paraíso
Joseph Rykwert (E189)
Pós-Brasília: Rumos da Arquitetura Brasileira
Maria Alice J. Bastos (E190)
A Idéia de Cidade
Joseph Rykwert (E234)
Interior da História
Marina Waisman (E308)
Espaço (Meta)Vernacular na Cidade Contemporânea
Marisa Barda (K26)
História da Arquitetura Moderna
Leonardo Benevolo (LSC)
Arquitetura Contemporânea no Brasil
Yves Bruand (LSC)
História da Cidade
Leonardo Benevolo (LSC)
Brasil: Arquiteturas Após 1950
Maria Alice Junqueira Bastos e Ruth Verde Zein (LSC)

Este livro foi impresso em São Bernardo do Campo,
nas oficinas da Paym Gráfica e Editora, em abril de 2013,
para a Editora Perspectiva